Le métissage par le foot

Autrement**Frontières**

Collection dirigée par Henry Dougier

Cet ouvrage est issu d'une étude d'Yvan Gastaut qui avait reçu en 2006 le soutien de la bourse Havelange Fifa et du CIES.

Cet ouvrage a reçu le soutien de Génériques.

www.autrement.com

Le suivi éditorial de cet ouvrage a été assuré par Marion Chatizel et Chloé Pathé.

Couverture : © Philippe Caron/Sygma/Corbis

YVAN GASTAUT

Le métissage par le foot

L'intégration, mais jusqu'où ?

Préface de Lilian Thuram

Éditions Autrement**Frontières**

PRÉFACE
Lilian Thuram[1]

Toute culture est un métissage composé d'apports multiples qui se fondent dans une même entité en perpétuelle évolution. Le constat n'est pas nouveau : la mobilité est à l'œuvre depuis que l'homme existe. Ce qui change aujourd'hui, c'est notre rapport à la diversité : une société repliée sur elle-même n'a plus de sens au début du XXIe siècle.

Sur un terrain de football comme dans la vie, la confrontation à l'Autre est une chose stimulante, enrichissante. Ne pas avoir peur de débattre, de parler ; mais surtout ne jamais croire que ses propres traditions et coutumes sont supérieures à celles de son interlocuteur.

Quand je repense à notre victoire lors de la Coupe du monde en 1998, je me dis que c'est une victoire historique du football français, bien évidemment, mais je pense aussi que rien n'aurait pu être possible si, au sein de notre équipe, aucun joueur n'avait évolué à l'étranger. À ce moment-là, je jouais en Italie, à Parme, où j'ai bénéficié de la culture italienne du ballon rond : l'important, c'est de gagner. En France, la victoire n'est pas suffisante, il faut aussi produire du beau jeu. Cette exigence française, métissée des savoir-faire anglais ou italien que nous apportions dans nos valises, nous avons su l'imposer au sein de l'équipe pour progresser et gérer les matchs avec efficacité.

---

1. Lilian Thuram est défenseur au sein de l'équipe de France depuis 1994. Il en est actuellement le capitaine et recordman des sélections. Il joue au FC Barcelone. Lilian Thuram est membre du Haut Conseil à l'Intégration.

Et si, lors de la demi-finale de Séville en 1982, avec un score de 3 buts à 1 pour la France en prolongations, les joueurs avaient bénéficié de cette culture enrichie par les expériences étrangères, ils n'auraient sans doute pas perdu le match. Pour ma part, j'ai connu successivement la France, l'Italie et l'Espagne ; à chaque nouvelle destination, il a fallu que je m'adapte à une autre culture de jeu.

Pour les Italiens, pour les Espagnols, je suis un immigré. L'immigration est un sujet qui tourmente notre société depuis des décennies. Le temps est venu d'un apaisement, car les hommes politiques et les médias ont souvent exploité ce thème à leur profit, sans réfléchir aux conséquences. Le terme Français de souche ne veut rien dire. Méfions-nous de ce genre de slogans simplificateurs. Je suis français depuis des générations, guadeloupéen descendant d'Africains, ayant grandi dans l'Hexagone, puis en Europe. Suis-je de souche ?

Je crois qu'il faut maintenant prendre conscience que nous sommes tous des immigrés et que le métissage est un processus que personne ne peut arrêter : l'intelligence voudrait qu'on l'accompagne et non qu'on s'y oppose. Bien sûr, il y a le poids du passé, parfois difficile à supporter, et à admettre. Les chercheurs comme Yvan Gastaut, spécialiste des migrations et des relations interculturelles, sont là pour nous éclairer sur les moments importants de notre Histoire.

Notre socle à tous, en 1998, joueurs et supporters, c'était bien la culture française. Pas cette culture étriquée, repliée sur elle-même, que certains entendent défendre. C'était celle d'une France ouverte, riche de ses multiples origines venues des régions, des anciennes colonies, de l'esclavage ou de l'étranger. Notre victoire a pu, en quelque sorte, symboliser cette réalité pas toujours perceptible. En ce sens, la génération 1998 a légué non seulement quelque chose au football français, mais elle a aussi laissé son empreinte dans notre histoire. Qu'on le veuille ou non, il y a un avant et un après « France 98 ».

Les sportifs ne sont pas, comme on le croit trop souvent, déconnectés de la vie publique. J'ai toujours réagi à des attitudes ou à des propos que je considère révoltants. J'ai d'ailleurs été plusieurs fois attaqué pour mes prises de position. Mais peu m'importe : la notoriété médiatique, selon moi, ne confère aucun droit. En revanche, quand on me donne la parole, défendre mes convictions, lutter contre le racisme et toutes les inégalités m'apparaissent comme un devoir. Et comme devrait le faire tout citoyen, c'est une nécessité.

INTRODUCTION. DE L'ÉVÉNEMENT SPORTIF
À L'ÉVÉNEMENT HISTORIQUE

Le 12 juillet 1998, à Paris, en s'imposant en finale contre le Brésil (3-0), l'équipe de France de football remporte la première Coupe du monde de son histoire, au terme d'un parcours qui a tenu l'Hexagone en haleine un mois durant.

Après avoir été classés premiers de leur groupe en battant l'Afrique du Sud (3-0), l'Arabie saoudite (4-0) et le Danemark (2-1), les Tricolores ont vaincu, non sans difficulté, le Paraguay, en huitième de finale au stade Bollaert de Lens (1-0 ap, but en or), l'Italie, en quart de finale au Stade de France (0-0 ap, 4 tab à 3), et enfin la Croatie, toujours au Stade de France en demi-finale (2-1)[1].

L'événement a rapidement débordé le champ sportif, pénétrant les sphères politique, économique et culturelle de la société, jusqu'à provoquer plusieurs mutations : non seulement le rapport des Français au football a changé[2], mais le rapport des Français à l'identité nationale a également connu une série d'évolutions. Si, jusqu'alors, une distance était maintenue dans certains milieux à l'égard de ce sport, avec la Coupe du monde, toutes les composantes de l'opinion française ont exprimé intérêt et passion pour les victoires des Tricolores, jusqu'à l'apothéose du 12 juillet. Le peuple s'est reconnu dans ce groupe métissé et dans ses vertus relayées par les médias. En conséquence, les symboles

---

1. ap : après prolongations ; tab : tirs au but.
2. Dans *Le Monde diplomatique* d'août 1998, Marc Augé se présente comme un « ethnologue au Mondial », constatant que la victoire française est en train de provoquer un « mini-séisme sociologique ».

de la République, en partie confisqués par l'extrême droite depuis le milieu des années 1980, ont été momentanément récupérés, à cette occasion, au service d'une citoyenneté se voulant plus ouverte. L'idéal de fraternité a retrouvé du sens à travers le désir soudain de chacun d'aller vers l'Autre pour partager, « tous ensemble », le bonheur de la victoire sportive.

Le football a joué un rôle essentiel dans le débat sur l'identité française et son devenir, stimulant l'imaginaire national en matière de diversité culturelle. En ce sens, la Coupe du monde 1998 peut être considérée comme un événement dans sa dimension historique. Mais celui-ci ne se limite pas au seul mois de juillet 1998. Pour en restituer toute la complexité, il est nécessaire d'inscrire les faits dans une histoire plus longue de l'interculturel et du football à partir du cas français. Dès le début des compétitions de football durant l'entre-deux-guerres, la première Coupe du monde en 1930 et la naissance du Championnat professionnel en 1932[3], la question des relations interculturelles s'est posée, en amont de la société, faisant de ce sport un formidable ascenseur social pour des populations nées à l'étranger ou dans les colonies, douées pour cette pratique.

Constatée ou négligée, l'ethnicité a accompagné le football professionnel, puis amateur, engendrant des situations cosmopolites inédites, propres au monde du sport, et du ballon rond en particulier. Longtemps peu en phase avec l'état d'une société française faite de clivages sociaux, ethniques et culturels, cette réalité apparaît comme une aubaine pour l'historien étudiant les contacts entre populations. À travers les archives du football, il dispose d'un fonds documentaire précieux sur le rapport à l'altérité.

L'échelle de la décennie permet de prendre la mesure de mutations décisives en matière d'ethnicité autour d'une véritable « foire aux identités » : il sera question ici de leur surévaluation ou de leur surinterprétation dans une France « fin de siècle » très réceptive aux discours sur la diversité que le football illustre parfaitement.

Cependant, ouverture à l'Autre ne signifie pas forcément éradication du racisme. L'histoire de l'opinion publique met en scène des

---

3. Alfred Wahl, *Les Archives du football*, Paris, Gallimard-Julliard, 1989 ; Alfred Wahl et Pierre Lanfranchi, *Les Footballeurs professionnels des années trente à nos jours*, Paris, Hachette, 1995.

V. v. important

sentiments souvent contrastés, parfois contradictoires. Dans le public du football, il n'est pas rare de soutenir les Noirs de son équipe et de hurler des insultes racistes à l'encontre de ceux de l'équipe adverse. De la même manière, il est tout autant possible d'assimiler certaines victoires à l'avènement d'une société multiculturelle apaisée et de considérer une élimination prématurée comme le signe d'une crise morale, d'un déclin fatal d'un modèle de société. Racisme et antiracisme sont des valeurs complémentaires traversant un monde du football caractérisé par une forte porosité, laissant la part belle aux instrumentalisations politiques et culturelles. En parlant de football, il s'agit de « parler de la France[4] » et, à l'occasion de la Coupe du monde 1998, d'en parler sans modération, autour d'un imaginaire fécond mais jamais dénué de stéréotypes et de préjugés.

En 2003-2004, le séminaire de l'Institut d'histoire du temps présent (IHTP) et de l'université de Paris-I Sorbonne intitulé « Crise et conscience de crise[5] » a suscité une réflexion approfondie sur les ressorts de la crise qui touche la société française depuis 1973-1974 et son issue éventuelle. Difficile pour le chercheur en histoire immédiate de fixer une date de « sortie de crise ». Certains évoquent 1985, avec la fin des grands conflits sociaux, notamment dans le secteur automobile. D'autres avancent l'idée de 1998... Mais est-ce bien sérieux ? Les conséquences d'une Coupe du monde de football peuvent-elles influencer le cours de l'histoire d'un pays ? Difficile de le dire tant les paramètres sont complexes. Néanmoins, il semble possible de considérer que l'issue d'une crise économique soit due à un fait culturel, et donc sportif : la victoire française, inespérée quelques mois, quelques semaines, voire quelques jours, plus tôt, a permis à tout un peuple de se libérer d'une crise ou d'un sentiment de crise morale.

Les sciences humaines, dominées par le structuralisme et son goût pour l'invariant, ont longtemps tenu la notion d'événement dans une suspicion radicale. Les historiens en particulier, dans le sillage de l'école des Annales[6], s'opposaient à l'histoire dite « événementielle », conçue

---

4. Michel Winock, *Parlez-moi de la France*, Paris, Le Seuil, 1997.
5. Voir les résultats des travaux de ce groupe de recherche sous la responsabilité de Geneviève Dreyfus-Armand, Robert Frank, Marie-Françoise Lévy, Michelle Zancarini-Fournel dans *Vingtième siècle*, numéro spécial, octobre-décembre 2004.
6. Voir, par exemple, Guy Bourdé et Hervé Martin, *Les Écoles historiques*, Paris, Le Seuil, 1997.

de manière simpliste comme une chronologie des faits. Mais, face aux tumultes du XXᵉ siècle, aux épisodes qui, parmi les plus récents, sont les signes d'une « accélération de l'histoire » – comme, par exemple, la chute du mur de Berlin en 1989 ou le 11 septembre 2001 –, l'événement a retrouvé grâce auprès des historiens depuis quelques années[7].

Pour bien comprendre l'impact de la victoire de l'équipe de France au Mondial, il faut penser l'« événement Coupe du monde » comme multidimensionnel. À la problématique de la place du football dans la société s'est ajouté un questionnement sur l'immigration et l'identité nationale, autour d'une valeur que l'on pensait obsolète, voire disparue : le patriotisme. Redéfinie, modernisée, mieux assumée, la « passion de la France » a pu s'exprimer à nouveau grâce au football. Depuis, les historiens ont dû réviser certaines grilles d'analyse classiques : dans le contexte de l'épanouissement d'une histoire culturelle stimulante[8], le bonheur, l'insouciance et, de fil en aiguille, ce qui est traditionnellement considéré comme futile dans le monde de la recherche, tels le sport ou la mode, sont aussi devenus des objets d'étude, étant témoins des mœurs contemporaines[9].

En période délicate de cohabitation entre un président de la République de droite (RPR), Jacques Chirac, et le gouvernement socialiste de Lionel Jospin (1997-2002)[10], la Coupe du monde, en l'espace de quelques jours, principalement du 8 au 14 juillet 1998, a transcendé les clivages traditionnels et engendré le comportement festif et fraternel de plusieurs millions de personnes. Une joie gratuite, certes, mais qui, par le nombre de ceux qui ont soutenu l'équipe de France, a été partie prenante d'un questionnement identitaire qui taraude l'opinion depuis la fin de la Seconde Guerre mondiale : qu'est-ce que la France[11] ? L'euphorie prolongée saluant le succès de l'équipe dite « black, blanc, beur » a pris une tournure antiraciste mettant en scène positivement la notion controversée d'intégration. Un siècle plus tôt, en pleine affaire

7. Voir « Qu'est-ce qu'un événement ? », *Terrain*, nº 38, mars 2002 ; Michel Winock, « Qu'est-ce qu'un événement ? », *L'Histoire*, nº 268, septembre 2002 ; et l'ouvrage de Christian Delporte et Annie Duprat (dir.), *L'Événement. Images et représentations, mémoire*, Grâne, Créaphis, 2003.
8. Voir Pascal Ory, *L'Histoire culturelle*, Paris, PUF, « Que sais-je ? », 2004.
9. Jean-Pierre Rioux, *Au bonheur la France*, Paris, Perrin, 2004.
10. Les périodes de cohabitation sont : 1986-1988 (Mitterrand-Chirac), 1993-1995 (Mitterrand-Balladur), 1997-2002 (Chirac-Jospin).
11. *Libération*, 10 juillet 1998.

Dreyfus, le contexte était bien différent, plutôt orienté vers le rejet. L'année 1898 est présentée dans un ouvrage de Pierre Birnbaum comme un « moment antisémite[12] ». Curieuse discordance des temps à un siècle d'intervalle, dans la mesure où 1998 exprime plutôt la face claire et ouverte d'une l'opinion publique sensible à la diversité culturelle.

Si la dernière Coupe du monde du XXᵉ siècle est un événement en soi, il apparaît indispensable de replacer la victoire française dans un cadre plus large. Sur un plan général, pour la France, une double approche fixant l'importance de la question migratoire dans le domaine du football et étudiant la construction de la question de l'intégration par le sport est nécessaire. Sur le plan chronologique, la séquence 1996-2002 s'avère éclairante. En amont, l'Euro 1996 se présente comme la mise en route de ce qui adviendra deux ans plus tard : équipe jeune et pleine d'avenir, renouveau sportif et premier débat sur l'identité des Bleus. En aval, il faut relier la victoire de 1998 à celle de l'Euro 2000 ainsi qu'au cuisant échec de la Coupe du monde 2002, qui clôt la période sur une mauvaise note[13].

Dans cette étude, la presse écrite sera privilégiée, dans la mesure où les articles ont été suffisamment riches et abondants pour que l'on puisse se passer d'un examen systématique de la radio et la télévision qui pourrait faire l'objet de travaux ultérieurs. Les écrits des journalistes, reportages ou éditoriaux, rapportent des impressions, des ambiances et des analyses « à chaud ». L'utilisation de ce type de source offre, lorsqu'il s'agit de reportages sur des lieux choisis, des informations sur les faits bruts, mettant en scène des personnages anonymes dans la réalité du moment. Autre usage, concernant davantage les éditoriaux et analyses diverses : déceler les distorsions de jugement provoquées par l'émotion ou l'absence de recul.

L'historicité de la Coupe du monde 1998 apparaît donc indéniable tant ses retombées ont été importantes, comme le montre un ouvrage dirigé par les chercheurs anglais Geoffrey Hare et Hugh Dauncey : *Les Français et la Coupe du monde de 1998*[14]. Point de

---

12. Pierre Birnbaum, *Le Moment antisémite, un tour de la France en 1898*, Paris, Fayard, 1998.
13. Voir Éric Maitrot et Karim Nedjari, *L'Histoire secrète des Bleus : de la gloire à la désillusion (1993-2002)*, Paris, Flammarion, 2002.
14. Geoffrey Hare et Hugh Dauncey (dir.), *Les Français et la Coupe du monde de 1998*, Paris, Nouveau Monde éditions, 2002 ; traduction d'un ouvrage paru en 1999.

référence, objet de commémoration : les coups de tête de Zinédine Zidane ont non seulement marqué les esprits, mais ils ont déjà pris la patine du temps, appartenant à un passé qui semble aujourd'hui bien lointain. Ce rapide « passage à l'histoire[15] » donne au chercheur l'occasion de prouver la fécondité des recherches en histoire du temps présent sur un objet aux fortes résonances populaires comme le football. La notion d'événement prend ainsi sa pleine mesure. Cette épaisseur historique est activée dans la presse, qui inscrit l'événement dans le passé dès les premiers jours qui suivent la victoire : nombre d'articles retracent l'épopée des Bleus en conjuguant les verbes au passé simple ou à l'imparfait.

Deux exemples significatifs traduisent l'engouement hors du commun véhiculé par la presse écrite. Après avoir titré « Vive le foot » la veille de la finale[16], *L'Équipe* propose à ses lecteurs un numéro historique avec un titre fameux, « Pour l'éternité », qui s'est vendu sur deux jours, les 13 et 14 juillet 1998, à 1,7 million d'exemplaires, record de France depuis la guerre pour la presse quotidienne[17]. Beaucoup de supporters ont conservé, voire encadré et exposé, cette une fétiche. « Plus rien ne sera jamais plus comme avant », déclare alors Jérôme Bureau, rédacteur en chef du quotidien sportif qui avait pourtant ouvertement critiqué le sélectionneur Aimé Jacquet, provoquant une importante polémique. La trace historique est déjà fixée par les propos du journaliste :

> Pour le football français devenu monumental et pour la France qui s'est découvert en une semaine une passion pour ses Bleus qui balaye tout sur son passage, toutes les rivalités, toutes les polémiques, toutes les différences. De cette journée historique, il reste des images que nous n'oublierons jamais et qui, espérons-le, promettent des lendemains enchanteurs pour la passion sportive de ce pays. L'image du bus des joueurs français en partance vers le match qui se fraye difficilement un chemin dans les rues de Clairefontaine tant la foule venue lui souhaiter bonne chance y était nombreuse, l'image des Champs-Élysées déjà envahis par la foule bien avant le coup de sifflet final, l'image de la tribune

---

15. François Hartog, *Régimes d'historicité*, Paris, Le Seuil, 2003.
16. *L'Équipe*, 11 juillet 1998.
17. *L'Équipe*, 13 juillet 1998.

officielle où pour la première fois de notre histoire tout un gouvernement s'intéressait au sport[18].

Dans le même sens, l'hebdomadaire *Paris Match*, titrant à sa une « Le jour de gloire », propose un numéro spécial de quatre-vingts pages qui commence par un billet significatif rédigé par Jacques Chirac en personne, souhaitant donner une portée immédiatement historique à la victoire :

> D'où vient qu'un événement sportif, fût-il mondial, soit qualifié d'« historique », non pas au sens d'exceptionnel mais au sens propre : qui concourt à écrire l'Histoire ? Il faut simplement qu'au-delà du sport, au-delà de l'exploit, au-delà du plaisir et de la fête collective se jouent une rencontre, une reconnaissance entre le peuple et lui-même [...]. La France crie sa joie ensemble et voudrait que ce 12 juillet ne s'achève jamais. Que s'est-il passé ? D'abord la France a accueilli le monde. [...] Ensuite la France a gagné, et nous avons aimé cette France qui gagne[19].

Les propos du président de la République relayent un sentiment généralisé de vivre des moments exceptionnels que l'histoire retiendra.

Passionné de football, Edgar Morin, qui a annulé tous ses rendez-vous pendant la compétition[20], est invité dans *Libération* à analyser la compétition « à chaud », une semaine à peine après la victoire sur le Brésil. Le sociologue évoque à son tour un moment d'« extase historique » qui appartient déjà au passé[21].

Au début du tournoi, la passion et l'intérêt ne dépassaient pas le cercle des amateurs de ballon rond, puis, « de même qu'il faut du temps pour chauffer un liquide jusqu'à température d'ébullition », il a fallu du temps pour que le pays commence à « chauffer » jusqu'à l'arrivée du « paroxysme final ». Dans une fièvre passionnelle, de plus en plus d'adolescents et d'adultes des deux sexes se peignent joues et front en bleu, blanc, rouge. *Via* la télévision, les Français assistent au spectacle, en groupe, chez eux ou dans les bistrots ; grâce à des écrans géants sur les

---

18. *Ibid.*
19. *Paris Match*, 23 juillet 1998.
20. *L'Événement du jeudi*, 5 mars 1998.
21. Edgar Morin, « Une extase historique », *Libération*, 20 juillet 1998.

places publiques dans les villes et jusque dans les villages, une partie grandissante de la nation participe à ce qui devient une épopée : « Tout est passé du niveau du stade au niveau de la nation. » Une communion identitaire réveille et révèle un « patriotisme des profondeurs », caché et enfoui, invisible, endormi mais soudain régénéré et revitalisé pour un temps. Edgar Morin élève cette victoire au rang de « moment d'histoire » : « Ce n'est pas un événement étatique, politique ou social, mais un événement périphérique, de caractère ludique, qui a pris une dimension historique. Cet événement, en brisant une croûte d'inertie, a fait ressurgir ce qui était à la fois très profond et invisible : les fondements mystiques et mythiques de l'appartenance nationale. » Quelle revanche pour une France traditionnellement vaincue en football, souffrant depuis plusieurs décennies du syndrome de la défaite, et qui accède à la victoire ! Selon Edgar Morin, cet événement doit se trouver en bonne place aux côtés du miracle de Bouvines (1214), de la bataille de Valmy (1792) ou de celle de la Marne (1914). Pour la première fois de son histoire, la communion française n'est pas la conséquence d'une victoire militaire, ni d'une libération nationale, ni d'une joyeuse explosion comme les deux premières semaines de Mai 68, mais d'un tournoi de football. Les bonheurs venus de la culture populaire et sportive ont supplanté les satisfactions issues de la guerre.

Quelques années plus tard, en 2005, dans le cadre d'un feuilleton estival du *Monde* invitant un écrivain à revenir sur un événement historique qu'il juge « marquant », le romancier algérien francophone Boualem Sansal évoque le Mondial 1998 : un épisode qui, selon lui, relève déjà du passé [22]. L'« effet Coupe du monde » confère au football une place nouvelle dans la société : l'opinion, sensibilisée, réagit en fonction des résultats des Bleus dont les performances deviennent une donnée majeure de la vie publique. Les instituts de sondage prennent la mesure de ce phénomène avec le plus grand soin, permettant de saisir le moral des Français. L'annonce du retour de Zinédine Zidane en équipe de France, en août 2005, après une parenthèse d'un an, en est l'exemple : cette donnée est un facteur décisif pour relancer la confiance des Français [23].

Les réactions de l'opinion publique à la Coupe du monde ouvrent plusieurs perspectives de réflexion historique : l'espace public, entre le

---

22. *Le Monde*, 15 juillet 2005.
23. « Y aura-t-il un "effet Zidane" sur le moral des Français ? », *Le Monde*, 10 août 2005.

populaire et les élites, entre la rue et les médias ; ensuite, l'articulation entre universel et nation, entre une vision planétaire, sorte de « mondovision », et la glorification mythifiée d'un patriotisme fin de siècle, redessiné et réactivé. Le football permet en outre de poser la question du métissage et de la place de la différence culturelle au sein de la société française. Enfin, la confusion entre histoire et mémoire, si répandue depuis deux décennies, s'illustre sous de nouvelles formes.

Le football comme spectacle, dans sa capacité à créer l'événement, se place ainsi au cœur de la « culture de masse » du XXᵉ siècle, notion féconde pour les chercheurs en histoire culturelle [24].

---

24. Jean-Pierre Rioux et Jean-François Sirinelli (dir.), *Histoire culturelle de la France*, vol. 4, *Le Temps des masses : le XXᵉ siècle*, Paris, Le Seuil, 1998 ; *id.*, *La Culture de masse en France : de la Belle Époque à aujourd'hui*, Paris, Fayard, 2002.

En matière de relations interculturelles au sein de la société française, l'épisode de la Coupe du monde apparaît comme un moment crucial : ses retombées ont permis de mettre en évidence le visage d'une France retrouvée, oubliant le sentiment ambiant d'une crise économique et morale.

Lors de la dixième édition du Championnat d'Europe des nations, l'Euro 1996, en même temps que se forme une nouvelle génération de footballeurs au sein de l'équipe nationale, la question de l'identité est posée, préfigurant l'épisode de 1998. La diversité culturelle de l'équipe est mise en débat : représente-t-elle la société française ? À l'heure d'une Coupe du monde qui s'appuie sur des valeurs universalistes, la question agite une opinion publique qui attendra les bons résultats des Bleus pour s'en convaincre. En cette occasion, le football est alors apparu comme le meilleur porte-parole d'un cosmopolitisme qu'il porte en lui depuis ses origines. L'éditorialiste du *Point*, Claude Imbert, a réuni « le footballeur et l'immigré ». Réponse à une mondialisation favorisant un « remue-ménage migratoire qui agite tous les continents », il note un « mouvement brownien » qui partout s'accélère et provoque entre la « fièvre du football » et la « fièvre migratoire » des points de comparaison et des rapprochements féconds [1].

---

1. *Le Point*, 28 juin 2002.

1. L'EURO 1996, PREMIER JALON

Après avoir été absente des Coupes du monde 1990 et 1994 et obtenu de médiocres résultats lors de l'Euro 1992, l'équipe de France aborde la phase finale de l'édition suivante de l'Euro, quatre ans plus tard, sous le signe du renouveau. Sous la houlette d'Aimé Jacquet, sélectionneur depuis 1993, une nouvelle génération de joueurs s'envole vers l'Angleterre pour disputer une compétition désormais fortement médiatisée, entre le 8 et le 30 juin 1996.

Brillante au cours de la phase éliminatoire, la France fait figure d'épouvantail. Sur le sol anglais, malgré des performances en demiteinte, les Bleus confirment leurs qualités et parviennent à se hisser au niveau des demi-finales, battus aux tirs au but par la Tchécoslovaquie (0-0, 5 tab à 6). Malgré des lacunes évidentes, cette équipe laisse entrevoir un avenir prometteur. Jusqu'alors plutôt éloignée de la sélection, la politique va faire irruption dans la vie des footballeurs.

Les Bleus sont-ils français ?

À l'approche de la demi-finale, un incident politique et médiatique vient ternir le parcours des Tricolores. Venues de l'extrême droite, une série d'accusations placent les joueurs français en première ligne dans le débat sur l'immigration lancé depuis le début des années 1980 autour de l'intégration des secondes générations.

En effet, le 23 juin 1996, alors que la France vient d'éliminer les Pays-Bas en quart de finale (0-0, 5 tab à 4), Jean-Marie Le Pen, le président du Front national, remet en cause la légitimité nationale de certains joueurs. Lors d'un meeting à Saint-Gilles, dans le Gard, il fustige la présence d'un trop grand nombre d'« étrangers » non intégrés parmi les Bleus en leur contestant la qualité de « Français » : « Il est tout de même un peu artificiel de faire venir des joueurs de l'étranger et de les baptiser "équipe de France"[1]. » Principale preuve de l'incapacité des joueurs à se battre pour la patrie, ils ne montrent guère d'enthousiasme pour entonner l'hymne national, et parfois même leur air narquois en dit long sur leur détachement coupable. La colère de Jean-Marie Le Pen se double d'une accusation à l'encontre de ces « faux Français qui ne chantent pas *La Marseillaise* ou visiblement ne la savent pas ». Quelques jours plus tard, à Lille, le chef de file du Front national, questionné par les journalistes, réitère ses propos avec plus de précisions : « Il y a quelque chose qui m'a choqué un petit peu, c'est de voir que tous les autres joueurs des autres pays [...] chantent leur hymne national [...] et que nos joueurs ne le chantent pas parce qu'ils ne le veulent pas. Quelquefois même, ils accentuent la moue qui marque que c'est bien volontaire de leur part, ou bien ils ne le savent pas. C'est bien compréhensible puisque personne ne le leur apprend. » Une liste des sélectionnés qui auraient bénéficié de ces passe-droits est ainsi dressée par Jean-Marie Le Pen. Ce constat le conduit à douter que le Onze de France puisse être représentatif de la France. Dans la tradition de l'extrême droite des années 1920, le président du Front national distingue « Français de souche » et « Français de papier ».

Selon Jean-Marie Le Pen, la bannière tricolore ne doit rassembler que de « purs enfants de la patrie » affichant un patrimoine génétique irréprochable : revêtir le maillot frappé du coq gaulois exige ainsi d'avoir les signes extérieurs du « Français de souche » à la peau blanche et au nom français. Le football ne saurait faire exception au principe de la « préférence nationale » et à la lutte contre le « métissage généralisé de la société française ». L'arrêt Bosman, en vigueur depuis 1995, est pris pour cible, considéré comme un désastre par le président du Front national : le métissage des équipes de football apparaît désormais irrémédiable, provoquant un délitement des identités locales et régionales que les différentes équipes ne parviennent plus à représenter. Les joueurs des pays membres de l'Union européenne peuvent désormais circuler

---

1. Enregistrement reproduit dans l'émission télévisée de France 2 *Envoyé spécial*, le 20 février 1997, « Le Pen dans le texte ». Voir aussi *Le Monde*, 25 juin 1996.

librement dans les différents championnats, prenant part à un cosmo-politisme destructeur. Mais il y a plus grave encore : les populations issues d'autres aires culturelles. En remettant en cause l'identité française des joueurs, le président du Front national s'en prend plus largement aux origines de ceux qui composent la nation. Sa recherche de paternité, ses suspicions en matière de « pedigree » des joueurs alimentent une logique strictement raciale que l'extrême droite développe depuis plusieurs décennies.

Selon une vieille antienne, l'extrême droite construit sa popularité sur le thème de la France en déclin. Aussi, les bonnes nouvelles ne lui sont guère favorables. Tout ce qui peut donner le sentiment d'une embellie ou d'une sortie de crise est un mauvais coup pour le Front national : initiative internationale heureuse, apaisement diplomatique, succès commercial ou industriel, voire réussite sportive. Par ses déclarations, Jean-Marie Le Pen tente d'assombrir la qualification des footballeurs français pour la demi-finale du Championnat d'Europe, provoquant ainsi un nouveau débat sur l'intégration, cette fois-ci autour du football.

Le Onze de France : des histoires d'intégration

Il est vrai que l'équipe de France fait la part belle à la diversité, présentée comme un miroir de l'immigration[2], la résultante d'une société multiculturelle et des flux migratoires qui ont irrigué la société française. *Télérama* présente cette équipe « black, blanc, beur » comme le fruit d'un joyeux mélange[3]. L'équipe nationale incarne la « France multiraciale » : les enfants de la colonisation et des vagues d'immigration successives ont toujours trouvé leur place dans le creuset français.

Depuis l'arrivée au pouvoir de Jacques Chirac, le temps d'un apaisement dans le débat sur l'immigration est-il venu ? Sur l'intégration sans doute, mais pas sur la question de l'immigration clandestine qui reste posée avec acuité, à quelques semaines de l'affaire des sans-papiers de l'église Saint-Bernard. D'ailleurs, depuis le 18 mars 1996, le mouvement des sans-papiers est déjà lancé avec l'occupation par 300 Africains de l'église Saint-Ambroise à Paris. Un collège de médiateurs formé de

---

2. *La Croix*, 8 juin 1996.
3. *Télérama*, 12 juin 1996.

personnalités françaises éminentes a tenté sans succès de négocier avec le gouvernement Juppé, tandis que dix sans-papiers mènent une grève de la faim de plus de cinquante jours. Cette affaire intervient alors que la France est critiquée par la communauté internationale pour ses atteintes aux droits de l'homme. Le débat sur l'immigration oscille ainsi entre différentes orientations : le football permet de montrer une autre facette, plus positive, de la diversité en France face aux douloureuses affaires de sans-papiers. D'ailleurs, le mouvement de sympathie qui gagne une bonne partie de l'opinion en août-septembre 1996 en faveur des grévistes de la faim de l'église Saint-Bernard[4] confirme une tendance des Français à ne plus aborder la question de l'immigration qu'en termes catastrophistes.

Sur les vingt-deux joueurs de l'équipe de France, quinze ont des liens originels avec une autre partie du monde, constituant une mosaïque sportive considérée par les médias comme unique en Europe. Les joueurs sont présentés à l'aune du parcours migratoire de leur famille : la diversité culturelle devient un argument médiatique qui nourrit la stratégie de communication faite autour des Bleus.

Sabri Lamouchi, natif du quartier populaire de la Duchère à Lyon, est l'aîné d'une famille de cinq enfants d'immigrés tunisiens venus en France en 1959. En 1994, il a failli opter pour la nationalité tunisienne, avant de se raviser[5]. Son père, après avoir été boucher en Tunisie, a été employé des Messageries lyonnaises. Issu d'un curieux mélange, Youri Djorkaeff est le deuxième enfant du footballeur Jean Djorkaeff, fils d'un Kalmouk originaire des steppes de la Sibérie et révolté contre les communistes, et de Marie Ohanian, fille d'un Arménien ayant fui les massacres perpétrés par les Turcs en 1915 *via* la Syrie, Marseille et enfin Décines, dans la banlieue industrielle de Lyon. Entre Rhône et Isère, la communauté arménienne était en effet importante et les usines voisines de Pont-de-Chéruy fournissaient sans relâche du travail aux nouveaux arrivants dans les années 1920[6]. Autre génération, autre parcours, le père d'Éric Di Meco, Esterino, jeune apprenti de 20 ans issu d'une famille paysanne des Abruzzes espérant devenir ouvrier tourneur, quitte

---

4. Voir, par exemple, l'ouvrage *Sans papiers, chronique d'un mouvement*, Paris, IM'média et Reflex, 1997.
5. *La Croix*, 23 février 1996.
6. Voir une enquête sur le parcours de Youri Djorkaeff dans *Libération*, 7 février 1996.

clandestinement l'Italie pour la France en 1948, convaincu par un ami. Si le voyage n'est pas aisé, dans la mesure où il faut franchir la frontière sans papiers, par la montagne et à pied, l'accueil et l'intégration le sont encore moins : obligation d'apprendre le français, de se battre pour obtenir la régularisation de sa situation, de beaucoup travailler sans jamais protester tout en rêvant de retour au pays.

Antonio Martins a construit sa maison de ses propres mains, mais au Portugal pour les vacances. Repartir au pays ? « Peut-être, mais je serais tellement inquiète pour les enfants », répond son épouse Laurinda qui, à 58 ans, ramasse des légumes sous serre, alors que son mari, lui, peut profiter de sa retraite dans l'appartement HLM de Brest qu'il occupe depuis son arrivée, en mai 1967. Ce jeune maçon travaillait dur sur les chantiers, près de Porto, depuis l'âge de 10 ans. Ses envies de départ s'expliquent par les rudes conditions de vie au Portugal à cette époque. Il a 32 ans lorsque son frère, déjà installé à Brest, trouve le moyen de le faire venir. Suivant la logique du regroupement familial, l'année suivante il est rejoint par sa femme et sa fille. Et, en 1969, naît Corentin, baptisé ainsi en l'honneur de la région qui avait « si bien reçu ses parents » et parce que le chef du chantier où travaillait son père portait ce prénom. Pascal Loko, lui, est venu de Brazzaville (au Congo) à l'occasion de son service militaire effectué près d'Orléans au cours des années 1960. Là, il joue au football, en troisième division, rencontre son épouse et obtient un emploi. En 1970, son fils Patrice naît à Sully sur les bords de la Loire : il ne s'est rendu qu'une seule fois au Congo, à l'âge de 4 ans.

Une opinion mobilisée autour des Tricolores

Les déclarations de Jean-Marie Le Pen, prenant le contre-pied du constat médiatique qui considère la diversité comme une chance, provoquent de multiples réactions.

Au-delà de l'unanimisme de la classe politique traditionnelle, pour la première fois, les joueurs de l'équipe de France, traditionnellement peu sensibles à la vie politique, décident de riposter. Le 24 juin, à la suite d'une réunion à l'initiative d'Aimé Jacquet, les footballeurs s'insurgent publiquement contre les propos de Jean-Marie Le Pen. *Libération* en fait sa une le 25 juin : « L'équipe de France répond à Le Pen. » Dans l'hôtel de la délégation française, tout le monde parle de l'« affaire

Le Pen », notamment les journalistes anglais très excités par la situation plutôt singulière[7]. Les joueurs, timidement et maladroitement, osent afficher leur désapprobation. Bernard Lama revient sur ses ancêtres qui « n'ont pas demandé à être déportés en esclavage. [...] De toute façon, c'est un problème que la France a avec ces gens-là, ce n'est pas nous qui avons un problème ». Christian Karembeu se montre choqué face à de tels propos : « La diversité des joueurs de l'équipe de France, c'est ce qui fait sa force. Je suis fier de porter ce maillot. » Pour Lilian Thuram, la bêtise a parlé : « Quand on est intelligent, on ne répond pas à de tels propos ; d'ailleurs, quand on est intelligent, on ne tient pas des propos pareils. » Plusieurs joueurs, dont Didier Deschamps, visiblement outré, discutent du comportement au moment des hymnes : selon lui, chacun est en droit de ressentir *La Marseillaise* à sa manière et il n'est pas nécessaire de la chanter à tue-tête pour obtenir le label de Français.

Les milieux politiques prennent le relais. Le Premier ministre, Alain Juppé, dénonce des propos « indignes et intolérables », réaffirmant sa confiance à tous les joueurs qui, « par leur façon de porter haut le drapeau de notre pays, contribuent à donner une certaine idée de la France[8] ». Le ministre de l'Outre-Mer, Jean-Jacques de Peretti, dénonce à son tour l'« injure faite à notre pays » en estimant que la « logique xénophobe » de Jean-Marie Le Pen n'a rien de commun avec les valeurs de la République et *La Marseillaise* dont il prétend se réclamer. Pierre Mazeaud, président RPR de la commission des lois à l'Assemblée nationale et ancien secrétaire d'État à la Jeunesse et aux Sports, assimile Jean-Marie Le Pen à un « multirécidiviste » en estimant que de telles absurdités sont totalement scandaleuses : « Les membres de l'équipe de France sont des Français comme moi et comme lui. Alors, qu'il les laisse tranquilles. »

À gauche, Jean-Marie Le Pen s'est vu infliger un « carton rouge » par François Hollande, porte-parole du Parti socialiste, alors qu'au même moment Jack Lang juge son attitude « nullissime ». Bernard Kouchner, ironique, affirme que Jean-Marie Le Pen a été « repris par une crise de racisme aiguë[9] ». Quant au Premier secrétaire du PS, Lionel Jospin, il jubile en sachant le président du Front national agacé de voir l'équipe de France exprimer dans ses rangs la diversité même de ce que peut être la France : « Il est non seulement nul en football, mais il ne connaît rien

---

7. *Le Monde*, 26 juin 1996.
8. *Libération*, 25 juin 1996.
9. *La Croix*, 25 juin 1996.

en histoire-géo, puisqu'il ne sait pas que les Antilles ou la Nouvelle-Calédonie, c'est la France. » Georges Marchais, ancien secrétaire général du Parti communiste, s'insurge également : « Si l'on suivait Le Pen, il faudrait exclure les dix-huit millions de Français d'origine étrangère. »

Pierre Georges, dans son billet quotidien pour *Le Monde*, ironise longuement avec lucidité, arguant qu'Aimé Jacquet ne dirige pas une équipe, mais, pour partie, « une phalange hétéroclite, cosmopolite, métissée et carrément rastaquouère, bleu, blanc, noir. C'est la Légion étrangère, son machin. Encore qu'à la Légion, au moins, on sache chanter *Le Boudin* et *La Marseillaise*. L'équipe de France ne plaît pas à Le Pen. Elle est l'antithèse brillante de ce que lui-même et son parti tentent en permanence de démontrer[10] ». Pour Pierre Georges, le Onze de France prouve que l'intégration est possible et que le métissage culturel est un enrichissement, attestant que des joueurs de toutes origines ne se posent pas même la saugrenue question de leurs racines. L'éditorialiste est satisfait de voir que le spectacle de cette équipe dérange Jean-Marie Le Pen :

> Ce spectacle est en effet lamentable, insoutenable à l'esprit d'exclusion et de tri. On peut imaginer que le fait de voir tous les enfants de France s'identifier actuellement à ces joueurs mettent les vrais Français, les « Français d'abord », dans un état proche de la catalepsie. Jean-Marie Le Pen a perdu une magnifique occasion de se taire[11].

Pour faire face à ce qu'il considère comme des « interprétations malveillantes », Jean-Marie Le Pen tient à faire une première mise au point dans un communiqué : il ne vise en aucun cas les joueurs originaires des DOM ou des TOM qu'il a toujours considérés comme des « Français à part entière », mais plutôt tous ceux qui ont été l'objet de « naturalisations de complaisance[12] ». Pour faire bonne mesure, Jean-Marie Le Pen laisse le soin à l'une de ses proches, la Martiniquaise Huguette Fatna, de se déclarer « scandalisée et choquée » par la réaction des médias et des adversaires politiques du Front national[13].

---

10. *Le Monde*, 25 juin 1996.
11. *Ibid.*
12. *France-Soir*, 25 juin 1996.
13. *Les Échos* et *Libération*, 25 juin 1996.

Mais le mal est fait, l'animosité entre extrême droite et équipe de France est désormais officielle et durable. Les Bleus, jadis plutôt portés vers le chauvinisme ou le poujadisme, ont choisi le camp de l'antiracisme, appuyés par une majorité de Français et par un grand nombre d'intellectuels.

« C'est l'histoire d'une équipe qui naît », titre de façon prémonitoire *France Football* en juillet 1996 [14]. Dans un contexte où la question du racisme taraude la société française [15], plus particulièrement dans les tribunes et chez les supporters, les Tricolores offrent le visage symbolique d'un brassage efficace et déjà exemplaire : toutes les différences additionnent leurs compétences dans un but commun. Le sillon est tracé pour la Coupe du monde 1998.

---

14. *France Football*, 25 juillet 1996.
15. Voir les rapports alarmistes, en 1995 et 1996, de la Commission nationale consultative des droits de l'homme en France qui publie tous les ans depuis 1990 un rapport annuel sur l'état du racisme en France.

2. 1998, LA FRANCE AU CENTRE DU MONDE

Deux ans plus tard, à l'occasion de la seizième Coupe du monde, en 1998, la France est à nouveau confrontée à la diversité culturelle à l'intérieur de ses frontières par le biais du football, mais cette fois-ci l'enjeu a changé de dimension : il s'agit d'accueillir une compétition de plus en plus suivie mondialement, cristallisant l'attention de plus de trente-trois milliards de téléspectateurs en audience cumulée. Présenter une équipe multiethnique au cours d'une compétition prônant l'Universel est apparu comme un facteur de valorisation d'une identité française renouvelée, fondée sur la tolérance et la pluralité. Sans être véritablement définis, les mots « intégration », « métissage », « multiculturel » ont jailli dans les discours médiatiques et politiques. Jamais une Coupe du monde n'avait été aussi culturellement bigarrée, ni autant médiatisée[1]. Pourtant, il a fallu que les Bleus connaissent le succès sur le terrain pour que la passion s'exprime, mettant en scène la fraternité comme valeur de référence.

Le temps venu de l'Universel

Si, depuis 1930, suivant la tradition lancée par Jules Rimet[2], les Coupes du monde ont toujours eu l'ambition de promouvoir un message

---

1. *L'Équipe magazine*, 4 juillet 1998.
2. Jules Rimet (1873-1956) fut président de la Fédération française de football, puis de la Fifa entre 1921 et 1954. Il est à l'origine de la première Coupe du

d'universalité et de pacifisme planétaire, la dernière édition du xxᵉ siècle fait de cette idée un véritable emblème.

Le souhait d'organiser la Coupe du monde en France a germé dans l'esprit du président de la Fédération française de football, Fernand Sastre, après les succès des Bleus lors de l'Euro 1984. Il avait l'ambition d'en faire l'événement le plus médiatique de la fin du millénaire[3]. Constitué en 1987, un comité de candidature élabore un dossier officiel, remis à la Fifa (Fédération internationale de football association) en 1991. La décision intervient le 2 juillet 1992 : la France organisera effectivement la Coupe du monde six ans plus tard. Le Comité français d'organisation (CFO) est créé avec un statut d'association dont le mot d'ordre est « universalité »[4]. La Coupe du monde est aussitôt présentée comme un événement[5] attendu avec impatience, d'autant que les Tricolores, éliminés à l'occasion d'un France-Bulgarie de sinistre mémoire à l'automne 1993, sont absents de l'édition américaine en 1994. 85 % des Français sont persuadés, en septembre 1997, que la compétition sera « une bonne chose pour l'image de la France[6] ».

Corrélée à la notion en vogue de mondialisation, la campagne publicitaire pour la compétition, lancée dès 1995-1996, insiste sur le « culte de l'universalité » du football. « Bienvenue au village mondial » : tel est le message transmis par *France Football*[7]. Pour Gérard Ernault, « à l'universalité du début de siècle façon Rimet a succédé l'universalité fin de siècle version Havelange[8] ». Constatant que le football est chaque jour pratiqué et regardé davantage dans le monde, le journaliste ajoute avant le début de la compétition : « Plus de monde en général, plus de Noirs,

---

monde en 1930. La compétition portera d'ailleurs le nom de Coupe Jules-Rimet jusqu'en 1970.

3. Signe tragique du destin, Fernand Sastre meurt le 13 juin 1998, quelques jours avant le dénouement de « sa » Coupe du monde.

4. Voir l'ouvrage de Philippe Villemus, directeur marketing partenaire du CFO, *L'Organisation de la Coupe du monde de football, quelle aventure !*, Paris, Le Cherche-Midi, 1999.

5. *Le Monde*, « La Coupe du monde 1998, dernier événement sportif du siècle », 4 juillet 1992.

6. *France Football*, 18 septembre 1997, sondage BVA.

7. *France Football*, 2 juin 1998.

8. João Havelange (né en 1916), Brésilien, fut président de la Fifa de 1974 à 1998. Il a notamment œuvré pour l'augmentation du nombre d'équipes participant aux phases finales de Coupe du monde (passé de seize à trente-deux entre 1974 et 1998).

plus de Jaunes, plus de couleurs de toutes sortes, en un mot plus de métissage. En matière d'universalité, c'est bien le fin du fin[9]. » L'universalité est une utopie bien réelle avec ses trois milliards de personnes ayant suivi la compétition grâce à la télévision, ce qui constitue alors la manifestation culturelle la plus suivie de toute l'histoire.

Avec plus ou moins de succès, cérémonies et manifestations officielles de 1998 ont été structurées autour de la thématique de l'universalité. Le 9 juin, à la veille de son coup d'envoi, la Coupe du monde est inaugurée par une procession de quatre géants de trente tonnes, hauts comme des immeubles de six étages, représentant les quatre couleurs primaires de l'humanité, les quatre « familles humaines » du monde du football. Parti de différents lieux du centre de Paris et accompagné par 4 500 danseurs, contorsionnistes, musiciens, jongleurs et acrobates[10], le défilé est télévisé en mondovision. Le géant jaune, Ho l'Asiatique, s'élance du Pont-Neuf ; le bleu, Roméo l'Européen, part de l'opéra Garnier ; Pablo l'Amérindien, de couleur orange, se met en route à partir de l'Arc de Triomphe ; et enfin, le Géant noir, Moussa l'Africain, démarre du Champ-de-Mars. Tous se rejoignent place de la Concorde où l'obélisque a été transformé pour l'occasion en réplique de la Coupe du monde, haute de vingt-cinq mètres.

Mais la fête est plutôt ratée : la pluie décourage les spectateurs, les cortèges sont trop lents, les personnages sont laids selon certains, caricaturaux selon d'autres. On parle de « géants boursouflés », de « rituel insipide » au « message maladroit[11] ». Les préparatifs ont pourtant duré un an et demi sous la direction de Jean-Pascal Lévy-Trumet, directeur de théâtre, qui a conçu cet événement comme une allégorie symbolisant « la rencontre et la confrontation ludique des peuples et des cultures, l'universalité du football et de sa Coupe du monde ». Il est vrai que le dispositif, simpliste et ambigu, a rappelé une période révolue où les « races » étaient considérées comme différentes les unes par rapport aux autres.

Le lendemain, en préambule du match d'ouverture Brésil-Écosse (2-1), une plus courte et plus dynamique cérémonie d'ouverture allie fraîcheur et universalité : un spectacle coloré, loufoque, joyeux et

---

9. *France Football*, 9 juin 1998.
10. Hauts de plus de 20 mètres, pesant 38 tonnes chacun, ces squelettes d'acier recouverts de latex se déplacent avec une extrême lenteur (1,5 kilomètre à l'heure).
11. « Quand le foot fait la France », *Le Nouvel Observateur*, 16 juillet 1998.

rythmé, mis en scène par Yves Pépin, dans la lignée des défilés organisés par Jean-Paul Goude lors des commémorations du Bicentenaire en 1989 ou par Philippe Decouflé à l'occasion des Jeux olympiques d'Albertville en 1992.

Juste avant la finale le 12 juillet, en fin d'après-midi, un défilé de mode est organisé par Yves Saint-Laurent sur la pelouse du Stade de France : 300 mannequins célèbrent les quarante ans de l'entreprise. Le goût de l'auteur pour l'exotisme et le métissage est bien mis en valeur avec des robes d'inspiration chinoise, africaine ou indienne dans un festival de couleurs vives, de plumes et de tissus fluides[12].

Enfin, un concert de Jean-Michel Jarre, le 14 juillet, marque la fin du Mondial, comme cela avait déjà été le cas lors des éditions précédentes. Le musicien rassemble les Parisiens au pied de la tour Eiffel pendant deux heures, dans une nuit électronique mêlant effervescence victorieuse à une sorte de Love Parade techno mondialisée. Avant la Coupe du monde, Jean-Michel Jarre, artiste international par excellence, avait enregistré deux hymnes destinés au football : *Rendez-vous 98* avec les Anglais d'Apollo Four Forty et *Together now* avec Tetsuya T. K. Komuro, vedette incontestée au Japon. Ses deux partenaires sont présents avec lui sur la scène afin d'insuffler de nouveaux sons et de nouveaux rythmes. En outre, grâce à l'apport du rap de Dadou, membre du groupe KDD, et de DJ Cam, inventant derrière ses platines de nouvelles versions hip-hop, la scénographie s'anime : *break-dancers* intrépides, échassiers semblant échappés du carnaval de Venise, choristes japonais, raveurs... dans une atmosphère de feux de Bengale et de fusées. Enroulé dans un drapeau tricolore, Jean-Michel Jarre dédie à Zinédine Zidane le métissage « ethno-techno » d'un titre d'inspiration arabisante[13].

Un engouement tardif

La passion engendrée par l'équipe de France a été longue à se dessiner, ne se révélant qu'à partir des victoires difficilement acquises face à l'Italie (0-0, 4 tab à 3) en quart de finale le 3 juillet et surtout face à la Croatie (2-1) en demi-finale, le 8 juillet, grâce à deux buts de Lilian

---

12. *La Croix*, 15 juillet 1998.
13. *Le Monde*, 16 juillet 1998.

Thuram. Auparavant, rien ne prédisposait à une telle explosion de joie autour du football, encore moins à une fête antiraciste. Bien au contraire : à l'instar des voyants qui n'ont rien prédit de juste, le Brésil ayant été annoncé vainqueur au début de 1998, les Français ne croient guère en leur équipe[14].

À quelques jours du début de la compétition, la tiédeur de l'opinion inquiète les organisateurs. Au cours d'un sondage effectué fin mai, à la question : « En ce qui concerne la Coupe du monde qui aura lieu prochainement en France, diriez-vous que vous vous y intéressez ? », 70 % des personnes interrogées affirment ne s'intéresser qu'un peu ou pas du tout au tournoi à venir[15]. L'intérêt mitigé des Français peut s'expliquer par les polémiques, lancées notamment par *L'Équipe*, concernant les choix tactiques d'Aimé Jacquet et par les performances plutôt ternes de l'équipe de France au début de l'année 1998. Peu spectaculaire, laborieuse, elle est critiquée et son entraîneur n'inspire pas confiance. Aurait-on fait de mauvais choix ?

Durant la première partie de la compétition, le public est bien présent, mais son enthousiasme reste mesuré : on se plaint des billets trop chers, du niveau des matchs moyen, voire médiocre. Et les actes de violence dans les stades ou autour des stades n'arrangent pas les choses. À Marseille, le 15 juin, lors du match Angleterre-Tunisie (2-0), des affrontements entre supporters des deux équipes font craindre le pire. Pendant la rencontre, des hooligans jettent des bouteilles et des sièges sur des spectateurs tunisiens parmi lesquels se trouvent des femmes et des enfants, déclenchant une véritable panique. Dans le même temps, sur la plage du Prado où avait été installé un écran géant pour les supporters privés de billets, quelques partisans du Onze de la Rose se déchaînent. En guise de représailles, quelques heures plus tard, des jeunes venus de différents quartiers de Marseille, ayant pris parti pour le public tunisien, cherchent à en découdre avec les supporters anglais restés en ville. On redoute de violents affrontements, mais les choses en restent là, la police parvenant à canaliser les différents groupes. Problème du même ordre dans le cadre du match Allemagne-Yougoslavie, à Lens, aux abords du stade Bollaert : un groupe de hooligans allemands s'en prend au

---

14. *La Croix*, 22 décembre 1998, faisant état des erreurs des voyants de l'année précédente.
15. Sondage effectué par Télémax les 29 et 30 mai 1998, in Sofres, Olivier Duhamel et Philippe Méchet (dir.), *L'État de l'opinion 1999*, Paris, Le Seuil, 1999.

gendarme David Nivel qui, grièvement blessé, gardera à vie les séquelles de cette dramatique échauffourée[16].

Le soir de la demi-finale, *L'Équipe* exhorte les Français à encourager leur équipe : « Public seras-tu là ? », force étant de constater que depuis le début du Mondial l'équipe de France n'a pas été soutenue d'une manière délirante par ses supporters[17]. Certes, au lendemain de la victoire contre la Croatie, « La France n'a pas dormi », selon le quotidien sportif, mais les joueurs n'ont guère apprécié l'ambiance insuffisamment enthousiaste du Stade de France. Ils suggèrent même l'interdiction du costume et de la cravate, fustigeant les cadres ou VIP pour rendre hommage au « public de la rue ». En réponse à cet enthousiasme limité, la finale du 12 juillet est curieusement présentée comme la dernière chance pour permettre une communion entre l'équipe et le public : « J'espère que les gens vont se réveiller », s'emporte Lilian Thuram[18].

Sur le plan politique, la Coupe du monde se déroule en plein débat sur l'immigration clandestine, alimenté par de nombreux mouvements de soutien à l'égard d'étrangers menacés d'expulsion. Le matin de la finale encore, plusieurs centaines de sans-papiers accompagnés de sympathisants répondant à l'appel de plusieurs collectifs antiracistes de la région parisienne manifestent sur le parvis de la basilique Saint-Denis, non loin du Stade de France, durant la messe dominicale. Ils brandissent des morceaux de papier de couleur rouge destinés à interpeller le Premier ministre et le ministre de l'Intérieur en utilisant une référence footballistique : « Jospin, Chevènement, carton rouge, des papiers pour tous[19] ! »

Toute politique d'immigration apparaît impuissante, force est d'en prendre conscience : l'« immigration zéro » est un leurre, les frontières ne sont pas étanches et les étrangers présents sur notre sol ne partiront pas. Que faire ? Les gouvernements de gauche comme de droite ne parviennent pas à rassurer les Français sur un problème social doublé d'un questionnement identitaire qui révèle un racisme endémique de la société dans son ensemble, sur fond de passé colonial mal digéré. La délinquance dans les banlieues, caractérisée par de spectaculaires

---

16. En 2001, la cour d'assises du Pas-de-Calais condamnera le plus virulent des hooligans agresseurs du gendarme Nivel, Markus Warnecke.
17. *L'Équipe*, 8 juillet 1998.
18. *L'Équipe*, 10 juillet 1998.
19. *Libération*, 13 juillet 1998.

émeutes urbaines, et la montée de l'intégrisme musulman, ponctuée par des affaires de voile dans les établissements scolaires ou des actes de terrorisme aveugle, sont des facteurs d'inquiétude permanents pour l'opinion publique.

Peu confiante dans l'avenir, repliée sur elle-même, la France vit une crise morale lancinante dont elle n'a jamais pu se départir depuis le choc pétrolier de 1973-1974. Sur ce terreau négatif, le racisme s'exprime notamment à travers un vote d'extrême droite désormais bien ancré dans la vie politique. En 1998, deux personnes sur cinq avouent en effet leurs sentiments xénophobes[20].

---

20. *Le Monde*, 2 juillet 1998. L'enquête avait été réalisée entre le 24 novembre et le 6 décembre 1997 par l'institut CSA auprès d'un échantillon représentatif de 1 040 personnes dans le cadre de la neuvième enquête annuelle pour la Commission nationale consultative des droits de l'homme.

3. UNE ÉQUIPE MULTICOLORE

Surprenant l'opinion publique, la victoire de l'équipe d'Aimé Jacquet a sonné comme un révélateur de la diversité culturelle de la France. Mais la passion identitaire quelque peu démesurée exprimée en juillet 1998, tout en se plaçant sur le mode de la célébration, trahit les vicissitudes de l'opinion au sujet de la différence. La question de l'ethnicité, le rapport aux origines sont omniprésents. Si cela n'est guère nouveau en matière de sport, en revanche, une prise de conscience collective sans précédent se produit.

Le football apparaît ainsi comme il a toujours été : un promoteur de l'interculturel. Après la victoire, sous le titre « Le monde est bleu », l'éditorial de Claude Droussent dans *L'Équipe magazine* établit un parallèle entre « droit du sol et droit du foot » tout en s'interrogeant sur la portée de l'événement[1]. En effet, s'il y a en France un domaine où le droit du sol est le plus efficace, c'est bien le sport[2]. À travers les médias, la France entière ne voit plus qu'une équipe plurielle, glorifiant ses origines, proches ou lointaines, provinciales ou étrangères. Il s'agit de trouver à chacun son particularisme : curieusement, ce procédé mêle appartenances nationales et appartenances locales au sein de l'espace français, ranimant même des velléités régionalistes plutôt éteintes au cours de cette période. Dès lors, le généticien Axel Kahn peut affirmer que si l'équipe de France se « débrouille bien », c'est parce qu'elle est plurielle : « Même si les gens ne l'analysent pas, ils le ressentent[3] » ;

---

1. *L'Équipe magazine*, 18 juillet 1998.
2. *La Vie*, 16 juillet 1998.
3. *Le Figaro*, 11 juillet 1998.

l'avocat Georges Kiejman peut exalter le mélange des couleurs de peau au sein de l'équipe [4] et Simone Veil, membre du Conseil constitutionnel, voit en elle un formidable facteur d'intégration. Exhibées sans retenue, les origines de chaque joueur ont nourri un discours édulcoré sur la différence, accentuant le trait de cette réalité sociale et culturelle sans véritable projet citoyen.

La foire aux origines

Dans la continuité de l'Euro 1996, la biographie des joueurs rappelle des itinéraires migratoires souvent complexes : Zinédine Zidane est issu de l'immigration algérienne, Youri Djorkaeff est d'origine kalmouk, Alain Boghossian est le petit-fils d'un Arménien, David Trezeguet a vécu ses premières années dans les faubourgs de Buenos Aires, Marcel Desailly est né au Ghana, et Patrick Vieira au Sénégal de parents capverdiens. Plusieurs joueurs viennent de l'outre-mer, comme Lilian Thuram, Guadeloupéen, Christian Karembeu, Kanak de Lifou, ou Bernard Diomède, né en métropole de parents antillais. Mais la plupart ont un label français que l'on décline tout autant comme un particularisme : Fabien Barthez est ariégeois de Lavelanet, Franck Lebœuf se présente comme marseillais, Bixente Lizarazu et Didier Deschamps sont fiers de leurs origines basques, Christophe Dugarry est bordelais, Laurent Blanc, cévenol, Stéphane Guivarc'h, breton de Concarneau, Emmanuel Petit est né dans le port de Dieppe tandis qu'Aimé Jacquet est un ancien tourneur-fraiseur de Sail-sous-Couzan, dans la Loire.

La fiche d'identité de chaque joueur apparaît essentielle pour expliquer le succès de l'équipe de France : ce que l'on pourrait décliner pour bien des sélections françaises dans l'histoire est présenté comme un atout majeur en 1998. Chacun vient de « quelque part », tel est le constat. Et le mélange des origines est une force. À l'image de la société, la notion de creuset [5] trouve toute sa place : les temps sont au brassage des populations, au métissage, terme en vogue au cours du Mondial. Depuis plus d'une décennie, imprégnée du souffle de la mondialisation, par le débat sur la citoyenneté et l'intégration des migrants, par l'apparition de nouvelles générations plus sensibles aux différences, l'opinion

---

4. *Ibid.*
5. Gérard Noiriel, *Le Creuset français*, Paris, Le Seuil, 1988.

française s'applique à mettre en scène une évolution qu'elle juge tantôt problématique, tantôt enrichissante.

La Coupe du monde est une aubaine pour présenter l'aspect constructif de l'apport des immigrés à la société française. En dépit de la persistance d'un racisme endémique, des errements en matière de politiques publiques concernant la gestion des étrangers, du « problème » des banlieues et de la « question » de l'islam, le milieu sportif, lui, semble échapper à ces difficultés. Aucune garantie toutefois que ces louanges soient suivies d'effets politiques et sociaux, tout le monde en est bien conscient. Qu'importe, l'heure est à l'antiracisme promu par le ballon rond. Les propos tenus dans les colonnes de L'Équipe au lendemain de la victoire par Gérard Ejnès sont significatifs de cet état d'esprit. Il compare la victoire de la France à un « acte de foi national aux symboles merveilleux » :

> Zidane le Beur, Deschamps et Lizarazu les Basques, Desailly et Vieira les Africains, Thuram l'Antillais, Djorkaeff le Kalmouk, Boghossian l'Arménien, Guivarc'h le Breton, Karembeu le Kanak, Dugarry le Girondin, Blanc le Cévenol, Jacquet l'ouvrier rhône-alpin, Petit le Normand, Barthez l'Ariégeois ont uni leur destin pour la grandeur d'un pays dont ils sont tous les mêmes enfants de grande volonté, fruits délicieux d'une histoire sanglante, douloureuse, taquine parfois, ancienne ou récente, mais au bout du compte unificatrice, pacificatrice, « intégratrice »[6].

Grâce à la Coupe du monde, plusieurs joueurs de l'équipe de France deviennent des figures incontournables dans les magazines people. Les Français ont souhaité en connaître davantage sur le parcours personnel parfois complexe de leurs idoles : le footballeur, surtout vainqueur, n'est plus simplement une somme de muscles et de techniques, il est aussi un individu marqué par sa propre histoire. L'enchevêtrement de ces destins passés de l'ordinaire à la notoriété révèle à l'opinion quelque chose de l'évolution de la société. Le cas d'Alain Boghossian, par exemple, plaît beaucoup. Son seul regret est que son père, ancien rugbyman à Saint-Auban près de Digne, d'origine arménienne et décédé en 1993, n'ait pu voir cette équipe de France dans laquelle son fils, à qui il a transmis le « salaire de la sueur », a pris place[7].

---

6. L'Équipe, 13 juillet 1998.
7. Le Figaro, 5 septembre 1998 et 12 mai 1999.

Quelques joueurs profitent de leur popularité et de l'engouement général pour publier des autobiographies. Marcel Desailly, dans un livre conçu avec Philippe Broussard, évoque son enfance à Accra où il est né en 1968 sous le nom d'Odenkey Abbey. Fils adoptif d'un diplomate ghanéen qui l'amène en France dans la région nantaise en 1972 avec sa mère et ses quatre frères, ni enfant de migrant, ni « jeune de banlieue », il raconte une histoire singulière[8]. Lilian Thuram, dans un ouvrage dont le titre retient la date du match contre la Croatie durant lequel il a inscrit deux buts décisifs, *8 juillet 1998*, évoque ses origines. Né en 1972 à la Guadeloupe, il arrive avec sa mère en métropole en 1981, à Bois-Colombes, au quartier des Fougères, dans la banlieue parisienne où l'adaptation est difficile. Leur voisin est raciste et le fait savoir en ne les saluant jamais. Il s'installe quelques mois plus tard près de Fontainebleau, à Avon. Son expérience de la banlieue lui confère un statut privilégié pour s'exprimer sur les questions d'intégration : « Dans l'euphorie de la victoire, j'avais l'impression que nous étions devenus le modèle parfait [...]. La plus grande richesse de cette équipe de France, c'était sa diversité culturelle. Ce jour-là, les personnes qui avaient des problèmes identitaires se trouvaient libérées de ce carcan[9]. »

Zinédine Zidane, héros français ou immigré ?

Le cas le plus emblématique est celui de Zinédine Zidane. Devant l'écran géant de Saint-Denis, un Beur qui joue les chefs de ban est bien décidé à faire crier « Zizou » à une foule majoritairement blanche et à faire reconnaître ainsi la contribution de Zidane à la nation, et par conséquent la place des Beurs dans celle-ci. Dès la demi-finale, *Le Figaro* parle de l'« effet Zidane » qui « convertit les Beurs », en insistant sur le rôle primordial du meneur de jeu qui rapproche Français « de souche » et communautés issues de l'immigration[10]. Sur les Champs-Élysées, des Beurs agitent des drapeaux algériens, manifestant ainsi leur double identité culturelle. « Le Père Noël est kabyle », pouvait-on lire sur une affiche improvisée placardée aux abords de la célèbre avenue.

---

8. Marcel Desailly, *Capitaine*, Paris, Stock, 2002.
9. Lilian Thuram, *8 juillet 1998*, Paris, Anne Carrière, 2004.
10. *Le Figaro*, 8 juillet 1998.

« Zidane président ! » : ces mots projetés par un jeu de lumières électroniques sur le fronton de l'Arc de Triomphe le soir du 12 juillet représentent un symbole fort de la victoire française. Vedette et plaque tournante de l'équipe, malgré une phase finale mitigée marquée par une expulsion peu glorieuse contre l'Arabie saoudite, héros de la finale en marquant deux buts décisifs de la tête en première mi-temps, Zinédine Zidane est apparu comme l'« icône de l'intégration[11] ». Celui que l'on surnommait « Yazid de Castellane » est devenu « Zizou de France[12] ». Le « gamin » des quartiers Nord de Marseille résume et incarne à lui seul ces Bleus qui gagnent : toute la France l'admire. Meilleur représentant de l'équipe multiraciale, celui que l'on érige en héros de la République apporte aux Beurs une dignité nouvelle : « La compétence d'un des leurs est pour une fois reconnue[13]. » *Paris Match* n'hésite pas s'attacher à cette figure pour restituer le sens de l'événement[14], tout comme *Libération* évoquant le « moment Zidane[15] ».

Le parcours de Zinédine Zidane est en effet significatif de l'enfant issu de l'immigration que la France souhaite intégrer. Sa famille est originaire d'Aguemoun, près de Béjaïa en Kabylie. Son père, Smaïl, travaillait dans sa jeunesse dans la culture et la vente des fruits et légumes produits sur le terrain familial. Au cours de l'hiver 1953, à l'âge de 17 ans, pour fuir un avenir promis à la misère au sein de ce qui est encore l'Empire colonial français, il émigre vers la métropole contre l'avis de ses parents, faisant partie de cette « première génération » d'immigrés maghrébins venus travailler par nécessité au temps de la guerre d'Algérie[16]. Arrivé à Paris, il habite pendant une quinzaine de jours à Clignancourt dans une chambre avant d'être renvoyé par les propriétaires. Pas encore majeur, Smaïl Zidane gagne difficilement sa vie, heureux d'avoir trouvé un premier emploi à Saint-Denis

---

11. *Libération*, 10 juillet 1998.
12. Patrick Fort et Jean Philippe, *Zidane, de Yazid à Zizou*, Paris, L'Archipel, 2006.
13. *Le Figaro*, 8 septembre 1998.
14. L'hebdomadaire n'hésite pas à accentuer ses origines jusqu'à l'exotisme – un titre « Merci Zidane » accompagné d'une photographie légendée : « L'enfant de Marseille et de l'autre côté de la mer en Kabylie fait oublier un instant l'horreur de la guerre civile en Algérie » et d'une autre où il embrasse son « maillot talisman ».
15. *Libération*, 14 juillet 1998.
16. Voir *L'Équipe magazine*, 2 avril 2005, numéro entièrement consacré à Zinédine Zidane.

comme manœuvre dans le bâtiment. Il mène alors la vie d'un travailleur immigré ordinaire, partageant un garni avec trois amis du village natal, faisant les trois-huit et expédiant la moitié de son salaire à ses parents[17].

En 1962, à l'heure de l'indépendance, déçu et fatigué par les conditions de vie et de travail qui sont les siennes en France, Smaïl Zidane décide de rentrer au pays. Mais, avant de prendre le bateau, il séjourne pendant quelques semaines auprès de membres de sa famille habitant Marseille. Il fait alors la rencontre de sa future femme, Malika[18], qu'il épouse en janvier 1963. Plus question désormais de retour : le couple s'installe au Canet, dans l'Hérault, dans une petite chambre où l'aîné des enfants, Madjid, vient au monde en 1963, puis à la cité Bassens à Marseille où naissent Farid (en 1965), Nourredine (en 1967) et Lila (en 1969). Ces années sont difficiles : peu de moyens financiers, succession de logements insalubres, promiscuité. À partir de 1969, la situation s'améliore quelque peu, à l'image de celle de l'ensemble des ressortissants d'Afrique du Nord : la famille Zidane emménage dans un appartement plus grand au sein de la cité de la Castellane, quartier populaire et cosmopolite du nord de Marseille. Zinédine, dont le prénom est alors Yazid, y naît le 23 juin 1972. Son enfance est plutôt heureuse, dans un univers bien encadré par les siens et loin de la terre algérienne de ses ancêtres ; enfant, il ne s'y rendra qu'une fois, en 1985, à l'occasion d'un voyage familial.

À Marseille, Smaïl Zidane joue au football dans le petit club Saint-Henri tout en supportant l'Olympique de Marseille au Stade Vélodrome avec ses enfants. En 1984, un déclic se produit chez Zinédine à l'occasion de la victoire de la France sur le Portugal en demi-finale de l'Euro pour laquelle il officie comme ramasseur de balles. Doué, il se passionne alors pour ce sport et, poussé par son père, commence à jouer au Sport olympique de Septèmes-les-Vallons, dans la banlieue Nord de Marseille. Ses progrès sont tellement rapides que, lors d'un match en 1986, il est remarqué par un recruteur de l'AS Cannes, Jean Varraud, qui lui fait immédiatement la proposition d'entrer au centre de formation de son

---

17. Voir Benjamin Stora, *Et ils venaient d'Algérie, histoire de l'immigration algérienne*, Paris, Fayard, 1992.
18. Malika Zidane, née en 1947, est arrivée à Marseille à l'âge de 5 ans. Son père, originaire du même village que celui des Zidane, était déjà ouvrier en métropole avant la Seconde Guerre mondiale.

club. Installé par ses parents dans une famille d'accueil à Pégomas, il quitte Marseille et gravit rapidement les échelons à l'AS Cannes, effectuant son premier match en Championnat de France de première division le 20 mai 1989 contre Nantes[19].

Lors de la Coupe du monde, celui qui appartient pourtant à l'équipe nationale depuis 1994, qui a porté la France en demi-finale de l'Euro 1996, est toujours sommé de décliner son identité et d'affirmer qu'il est vraiment prêt à se battre pour le pays. En préambule du tournoi, dans un long entretien avec Patrick Dessault pour *France Football*, il rassure les sceptiques : « Je veux me défoncer pour la France[20]. » Au-delà, fier de sa ville natale, il se déclare même marseillais, comme en décembre 1997, au moment du tirage au sort de la composition des poules pour la phase finale[21].

Mais la personnalité de Zinédine Zidane, plutôt effacée, ne force pas le trait. Souvent sollicité pour donner son avis, le héros du Mondial détonne par son mutisme. Il refuse de se mettre en avant comme modèle d'intégration et affirme qu'il n'a pas de message particulier à transmettre. S'il force le respect par l'humilité avec laquelle il parle des origines modestes de ses parents, il n'en tire pas avantage pour discourir sur l'immigration, encore moins sur l'islam et les difficultés sociales et culturelles rencontrées.

Parfois, lorsqu'on demande à celui que Guy Bedos a appelé « l'Arabe qui cache la forêt » ce qu'il doit à la France, il finit par s'énerver : « Ce que je suis, je le dois à mon père et à ma mère. Je leur dois tout, parce qu'ils m'ont appris très jeune à garder la tête froide, à travailler, à être respectueux envers les autres[22]. » Par dépit, les journalistes se rabattent sur sa famille à Marseille pour obtenir des informations sur le rapport de la vedette de l'équipe de France à ses origines. Selon ses proches, la notoriété n'a rien changé au comportement de Zinédine Zidane, le cercle des amis ne s'est pas élargi, on se réunit toujours de la même manière pour les anniversaires et les fêtes traditionnelles musulmanes.

---

19. Voir le film documentaire de René Letzgus, *Une équipe de rêve*, 2006, primé au festival de Cannes 2006, qui raconte le parcours de la petite communauté d'amis footballeurs du centre de formation de l'AS Cannes à la fin des années 1980 chers à Zinédine Zidane, son équipe de rêve.
20. *France Football*, 2 juin 1998.
21. *France Football*, 2 décembre 1997.
22. *Le Nouvel Observateur*, 24 décembre 1998.

Zidane est un produit de l'histoire tourmentée de la France et de l'Algérie, le match France-Algérie de 2001 en apportera la douloureuse révélation. Ses exploits balle au pied peuvent-ils contribuer à tourner la page de la guerre d'Algérie ? Benjamin Stora apporte son analyse sur ce point : « Zidane clôt quelque part une histoire de l'imaginaire français : il montre qu'on peut rester fidèle à un père nationaliste et être pour la France, qu'on peut être musulman et français à part entière. Et tout le monde accepte qu'il chante *La Marseillaise*[23]. » Pourtant, celui qui est alors le meneur de jeu de la Juventus de Turin ne veut surtout pas être considéré comme le représentant d'une communauté algérienne ou kabyle. Il tient à éviter tout enfermement communautaire. Alain Finkielkraut s'en réjouit : « J'ai été très agacé par toutes ces théories autour de Zidane. Le foot a été capturé par le discours idéologique [...]. Si nous avons des Zidane dans notre équipe et si la Pologne n'en a pas, ce n'est pas parce que nous sommes moins racistes. C'est parce que nous avons un passé colonial. Il n'y a pas de quoi se vanter. » Aussi les propos de Zidane sont-ils supprimés dans la deuxième édition de l'ouvrage écrit avec son copain Christophe Dugarry[24], parue en 1999, lorsqu'il se laisse aller à dire que sa victoire, « c'est aussi celle de [son] père, celle de tous les Algériens fiers de leur drapeau qui ont fait des sacrifices pour leur famille mais qui n'ont jamais abandonné leur propre culture », ou encore :

> Il y avait quelque chose d'émouvant le soir de notre victoire à observer dans la foule tous ces drapeaux algériens mêlés aux drapeaux français. Cette alchimie dans la victoire prouvait brusquement que mon père et ma mère n'avaient pas fait le chemin pour rien : c'est un fils de Kabyle qui offrait la victoire, mais c'est la France qui devenait championne du monde. D'un seul coup d'un seul, les deux cultures n'en faisaient plus qu'une.

Même prudence ou discrétion sur ce point dans l'ouvrage coécrit avec Dan Franck, *Zidane, le roman d'une victoire* : tout au plus il

---

23. *Libération*, 10 juillet 1998.
24. Zinédine Zidane, Christophe Dugarry et le journaliste Pierre-Louis Basse, *Mes copains d'abord*, Paris, Mango, 1998.

concède que « pour faire sa place, un étranger doit se battre deux fois plus[25] ».

Il est peu question de l'école publique dans le parcours de Zidane, comme si par avance elle était disqualifiée en matière sportive. C'est à l'extérieur des institutions de la République qu'il a acquis son talent, dans la rue ou dans les clubs. *L'Équipe* célèbre chez lui « ce flair, cette intuition, cette intelligence qui viennent du football de la rue[26] ». Pour autant, il n'a rien à voir avec une certaine « culture jeune » ou « culture des cités » : il est considéré comme plus proche des valeurs d'Aimé Jacquet que des rappeurs de NTM (Nique Ta Mère) alors très en vogue.

Zidane peut contribuer à résoudre la question de l'intégration : beaucoup d'observateurs s'en convainquent. L'universitaire Sami Naïr, alors conseiller de Jean-Pierre Chevènement, même s'il est conscient que la visibilité de l'adhésion du pays à ses fils issus de l'immigration risque de tomber dans l'oubli à long terme, se montre admiratif à son égard : « Il fait plus par ses déhanchements que dix ou quinze ans de politique d'intégration[27]. » Le romancier, universitaire et futur ministre Azouz Begag note de la même manière que les deux coups de tête de Zidane ont « déchiré les filets de protection identitaire du pays[28] ». L'impact du football sur l'opinion est ici souligné : le ballon rond permet, par son immense popularité, d'accréditer un discours ou une politique difficile à mettre en place dans l'ordinaire.

Cette notoriété du joueur vedette est telle que Pascal Boniface, auteur d'un ouvrage de géopolitique du football, se demande si Zinédine Zidane ne va pas participer au rayonnement du pays comme le firent les philosophes du siècle des Lumières, nos écrivains du XIXᵉ siècle ou nos grands intellectuels du XXᵉ siècle[29]. Depuis la Coupe du monde, Zinédine Zidane est l'une des personnalités préférées des Français[30]. À la fin

---

25. Zinédine Zidane et Dan Franck, *Zidane, le roman d'une victoire*, Paris, Laffont, 1999.

26. *L'Équipe*, 22 décembre 1998.

27. « Zidane, icône de l'intégration », *Libération*, 10 juillet 1998.

28. *Le Monde*, 12 octobre 1999.

29. Pascal Boniface, *La Terre est ronde comme un ballon : géopolitique du football*, Paris, Le Seuil, 2002.

30. Dans un sondage BVA publié par *Paris Match* le 23 juillet 1998, 58 % des personnes interrogées estiment que Zinédine Zidane est le meilleur joueur de la Coupe du monde, contre 54 % pour Fabien Barthez, 30 % pour Lilian Thuram et 28 % pour Emmanuel Petit.

de l'année 1998, non seulement il est élu sans conteste Ballon d'or 98 par l'hebdomadaire *France Football*, « champion des champions » français par *L'Équipe*, « meilleur footballeur de l'année 1998 » par la Fifa[31], mais il est aussi désigné par *Le Nouvel Observateur* « homme de l'année », dans la mesure où « il a fait du 12 juillet une fête nationale[32] ».

---

31. *Le Monde*, 3 février 1999.
32. *Le Nouvel Observateur*, 24 décembre 1998.

Deuxième partie
Une mobilisation populaire :
émotions fraternelles, espoirs partagés

À l'instar de la Coupe du monde 2006 en Allemagne, portée par le slogan « Le rendez-vous de l'amitié », la Coupe du monde 1998 a engendré d'importants rassemblements collectifs fondés à la fois sur l'idée d'une communion universelle et sur celle quelque peu antinomique de retrouvailles nationales.

La victoire de l'équipe de France a provoqué une série de réactions populaires spontanées. La rue est l'espace d'expression privilégié de cette « passion ordinaire [1] » : corollaire des médias, elle révèle une opinion en actes. Les Français, satisfaits de pouvoir se retrouver autour du football, n'ont pas hésité à exprimer leur joie de la victoire dans l'espace public, délaissant pour beaucoup la sphère intime. En conséquence, cafés, bars, pubs, restaurants et autres lieux de convivialité ont été le théâtre de scènes de fraternisation.

Mobilisé, le peuple [2] a exprimé son bonheur à l'aune des valeurs antiracistes bien adaptées à ce type de rassemblement collectif ayant pour objet la fête [3]. Un colloque organisé à l'université de Paris-I Sorbonne et intitulé « Les usages politiques des fêtes [4] » a déjà apporté plusieurs axes de réflexion étayés par de nombreux exemples sur la place de la fête dans l'espace public aux XIXe et XXe siècles, sans toutefois y intégrer les fêtes liées au sport, notamment au « supporteurisme [5] ». Soudainement confiants dans le processus d'intégration des populations issues de l'immigration, les Français envisagent l'avenir autrement, oubliant pour un temps un pessimisme routinier. La banlieue profite de l'occasion pour améliorer une image qui s'était considérablement ternie depuis deux décennies.

---

1. Voir Christian Bromberger (dir.), *Passions ordinaires, du match de football au concours de dictée*, Paris, Bayard, 1998.
2. Voir Jean-Louis Robert et Danielle Tartakowsky (dir.), *Paris, le peuple (XVIIIe-XXe siècle)*, Paris, Publications de la Sorbonne, 1999 ; Suzanne Citron, *Le Mythe national*, Paris, L'Atelier, 1991 ; Pierre Birnbaum, *La France imaginée*, Paris, Gallimard, 1999.
3. Voir des travaux d'historiens sur la notion de fête : Mona Ozouf, *La Fête révolutionnaire*, Paris, Gallimard, 1976 ; Rosemonde Sanson, *14 juillet, fête et conscience nationale (1789-1975)*, Paris, Flammarion, 1976 ; Olivier Ihl, *La Fête républicaine*, Paris, Gallimard, 1996. Voir également un numéro de la revue *Vingtième siècle*, juillet-septembre 1990, « La rue et la fête du Front populaire ».
4. Alain Corbin, Noëlle Gérôme et Danielle Tartakowsky (dir.), *Les Usages politiques des fêtes*, Paris, Publications de la Sorbonne, 1994.
5. Pierre Arnaud a abordé la question du sport et de l'éducation physique à l'occasion du colloque « Supporteurisme » à Lyon sous la IIIe République.

4. LE PEUPLE DANS LA RUE

La victoire de l'équipe de France, suivie au Stade de France par 80 000 spectateurs et 20,6 millions de téléspectateurs sur TF1, a provoqué une liesse populaire d'une ampleur exceptionnelle et inédite. Paris ou province, villes et villages : des millions de personnes gagnées par une euphorie peu banale ont manifesté leur joie dans un grisant maelström[1]. Avec plus ou moins d'intensité, la rue devient le moyen d'expression privilégié du bonheur des Français, beaucoup préférant partager ces moments en dehors de chez eux.

À la suite de Danielle Tartakowsky, notamment, dont les travaux portent sur l'importance et le rôle de la rue dans les mouvements sociaux[2], les historiens retrouvent, à travers l'objet inattendu qu'est le football, des images du peuple dans les artères des grandes villes ou dans les lieux publics. La mobilisation collective sous la forme d'une émotion populaire se déplace du champ politique ou social vers la sphère culturelle, sportive et festive.

Les journaux télévisés, les radios, la presse nationale et locale, sportive ou non sportive, n'en finissent plus de brosser la fresque de la joie nationale qui, après la victoire française, galvanise le pays tout entier. Conscients d'inscrire les faits dans une dimension historique, journalistes et observateurs martèlent un constat : il s'agit d'une ferveur

---

1. *Les Échos*, 15 juillet 1998
2. Danielle Tartakowsky, *Les Manifestations de rue en France (1918-1968)*, Paris, Publications de la Sorbonne, 1998, et *Le pouvoir est dans la rue. Crises politiques et manifestations en France*, Paris, Aubier, 2001.

populaire sans précédent depuis la Seconde Guerre mondiale[3]. *L'Équipe*, avec un tirage record de 1,6 million d'exemplaires, parle de l'« heure de gloire » pour un pays « embrasé comme jamais depuis la Libération » : même s'il s'agit de « raisons bien sûr moins nobles, moins tragiques, mais tellement fortes », les Français sont « montés au ciel » quand le capitaine Didier Deschamps a brandi le trophée d'or. Ce « vieux pays », terme emprunté au vocabulaire gaullien dont la figure plane sur cette fête, est « sur le toit du monde devant deux milliards de témoins sans doute effarés et conquis[4] ». Même emphase dans l'éditorial de Serge July, directeur de *Libération*, au lendemain de la victoire, évoquant un « rêve français » et soulignant la communion nationale sans précédent depuis la fin de la Seconde Guerre mondiale[5]. *Paris Match*, l'organe de presse hebdomadaire le plus populaire de France avec un tirage proche du million d'exemplaires, titre son dossier spécial à l'issue de la compétition : « Paris n'avait jamais vu ça depuis la Libération[6]. » À l'intérieur, une autre double page est légendée par une formule patriotique empruntée au champ sémantique de la Grande Guerre : « Tous au champ d'honneur ! »

Un déferlement progressif

À partir du match France-Italie (0-0 ap, 4 tab à 3), le 3 juillet, un vent de folie s'empare progressivement de l'opinion publique jusqu'au 12 juillet[7]. Quelques minutes après l'élimination de l'équipe transalpine au terme d'un match crispant et incertain, une foule cosmopolite, venue assister à la rencontre sur plusieurs écrans géants, et notamment devant l'Hôtel de Ville de Paris, lieu symbolique de la République, explose de joie. Bon nombre de personnes présentes portent le maillot de l'équipe de France, mais d'autres celui de l'Italie. Brésiliens, Tunisiens, Sud-Africains, Marocains, Argentins, Espagnols sont également de la fête. Partout en France, des défilés impromptus s'organisent au cours de la

---

3. Voir Alain Brossat, *Libération, fête folle, 6 juin 1944-8 mai 1945, ou le Grand Théâtre des passions populaires*, Paris, Autrement, 1994.
4. *L'Équipe*, 13 juillet 1998.
5. *Libération*, 13 juillet 1998.
6. *Paris Match*, 23 juillet 1998.
7. *L'Équipe*, 4 juillet 1998, article de Sébastien Tarrago.

soirée : à Marseille, Lyon, Lille, Nantes, des klaxons de bonheur se font entendre jusque tard dans la nuit du 3 au 4 juillet.

Le 8 juillet, la difficile victoire des Bleus sur la Croatie (2-1) en demi-finale provoque une nouvelle série de rassemblements encore plus imposants. À l'issue de la rencontre, plus de 350 000 personnes se retrouvent sur les Champs-Élysées. Un déclic se produit, « drapeaux tricolores, foule multicolore », tout le monde crie : « On a gagné ! On a gagné[8] ! » ; de manière imprévisible, l'Hexagone oublie son repli frileux, ses rigidités, ses lignes de fracture. « Thuram président ! » hurlent certains supporters qui tiennent à saluer le double buteur du soir. Concerts de klaxons et explosions de pétards retentissent dans plusieurs quartiers de la capitale et de sa banlieue : entre la place de la Concorde et l'Arc de Triomphe, sur le boulevard Barbès, à Saint-Denis, à Mantes-la-Jolie. Même ambiance à Nantes, Rouen, Bordeaux, Besançon ou Strasbourg par exemple[9]. À Juan-les-Pins, jusqu'à 3 heures du matin, les rues de la station balnéaire sont totalement bloquées par des rassemblements spontanés de jeunes, les visages peints aux couleurs tricolores[10]. Les médias soulignent déjà le caractère exceptionnel de ces défilés inorganisés : « Il faut d'ordinaire la fin d'une guerre, l'élection d'un président populaire ou la commémoration biséculaire de la Révolution française[11]. »

Le lendemain, plusieurs reportages proposés au journal de 13 heures de France 2 invitent à revivre le match en alternance dans un bar homosexuel, dans les coulisses d'un théâtre avec les comédiens en habit de scène, l'oreille collée au transistor, ou encore dans une caserne de pompiers. La Coupe du monde occupe désormais tout l'espace médiatique et tous les esprits. Projets partagés, peurs, joies communes, voilà les données d'une France qui se met en scène et se pense au collectif, avec toutes ses composantes. Un jaillissement d'énergie nationale permet à chacun de se délivrer des règles et des prévisions[12]. Après la nuit du 8 au 9 juillet, plus qu'un seul objectif : la finale.

Après le troisième but d'Emmanuel Petit à la fin de la finale remportée face au Brésil (3-0) le 12 juillet, la clameur du Stade de France

---

8. *Libération*, 10 juillet 1998.
9. *Libération, Le Figaro*, 9 juillet 1998.
10. *L'Équipe*, 10 juillet 1998.
11. « Cœur tricolore », *La Tribune*, 10 juillet 1998.
12. *Le Monde*, 12-13 juillet 1998.

retentit dans tout l'Hexagone ; une allégresse d'une intensité sans pareille s'empare du pays : dans la nuit du 12 au 13 juillet, des foules immenses déferlent sur les places et dans les rues pour partager le bonheur de la victoire. De loin, ce troisième épisode des manifestations de rue est le plus imposant car il consacre une victoire inespérée et historique.

À Paris, sur les Champs-Élysées, plus de 1,7 million de personnes passent une bonne partie de la nuit à faire la fête. 60 000 personnes défilent à Marseille aux abords des plages du Prado et sur les quais du Vieux-Port ; 40 000 à Lyon sur la place Bellecour ; 40 000 à Toulouse, place du Capitole, ainsi qu'à Bordeaux ; 20 000 à Lille sur la Grand-Place ; autant à Montpellier, à Nancy sur la place Stanislas, à Nice sur le cours Saleya et sur la promenade des Anglais, à Rennes, à Bordeaux ou à Strasbourg. À Rouen, la circulation est paralysée, les supporters agitant drapeaux, banderoles, sirènes hurlantes, avertisseurs bloqués, tandis qu'au Havre les sirènes et les cornes de brume des navires français en escale ont retenti. L'ambiance festive s'est propagée aussi en Corse : dans les rues de Bastia, sur le cours Napoléon d'Ajaccio et dans les villages, des salves d'honneur sont tirées vers le ciel en hommage à l'équipe de France. Des véhicules arborant le macaron à l'effigie du nationalisme clandestin pavoisent en bleu, blanc, rouge.

L'outre-mer n'est pas en reste. En Guyane par exemple, malgré la proximité du Brésil, les victoires du Onze de France ont déclenché une fête populaire exceptionnelle. Comme au mois de février à la période du carnaval, plusieurs milliers de personnes ont arpenté l'avenue du Général-de-Gaulle, principale artère de Cayenne, pour fêter la victoire. Dans la foule, le maillot jaune brésilien et *La Marseillaise* font bon ménage. Sur les balcons, on danse la samba ; chez *Claudio*, bar brésilien du centre-ville, la salle pleine à craquer chavire de bonheur malgré la défaite de la *seleção*. Dans le quartier populaire de la Crique, un défilé est improvisé par les habitants. À la Réunion, malgré l'heure tardive due au décalage horaire, des embouteillages gigantesques ont paralysé Saint-Denis.

Les communautés françaises et francophones de l'étranger ont également fêté l'événement. La plupart des grandes capitales, comme Varsovie, Santiago du Chili ou Tokyo, ont ainsi connu des scènes de joie. À New York, la 60e Rue est inondée au coup de sifflet final par une marée de drapeaux tricolores. À Montréal, plusieurs milliers de personnes, Français mais aussi Canadiens, envahissent le centre-ville. Au Maroc, les Bleus sont très appréciés et la finale est suivie passionnément dans tout le pays. À Sydney, le champagne est sablé dès le coup de sifflet final, de nombreux Australiens de toutes origines se sont associés à l'importante communauté française pour fêter la victoire des Tricolores. À Pékin, un millier de personnes se sont regroupées au siège de la télévision nationale qui retransmet le match en direct à 3 heures du matin sur écran géant[13].

La place de l'Étoile à Paris, avec l'Arc de Triomphe, est le cœur de cette liesse relayée à travers le monde. Partout des groupes se croisent, s'embrassent, partagent la bière ou le joint. Place de l'Hôtel-de-Ville, c'est aussi une joie collective qu'exprime une foule tellement dense qu'on arrive à peine à bouger : *La Marseillaise* est braillée, hurlée et reprise à l'infini. Dans le métro, des rames entières bondées hurlent : « Allez les Bleus ! » La fête prend parfois des allures gaillardes, voire chaotiques : on boit le rouge au goulot, on urine contre les vitrines des grands magasins. Plus de hiérarchie ni de conventions ; plus de classes sociales, de provinciaux, de banlieusards ; plus d'immigrés : c'est « Paris folie, Paris fou-rire, Paris délire, Paris bordel, Paris câlin, Paris fraternel, Paris centre du monde[14] ».

L'explosion de joie ne va pas sans provoquer quelques fâcheux incidents : plusieurs départs d'incendie[15], de graves blessures consécutives à des chutes de personnes juchées sur des voitures et quelques accidents plus ou moins graves. Le plus dramatique survient à 3 heures du matin sur les Champs-Élysées lorsqu'une conductrice prise de panique fonce dans la foule et fauche quatre-vingts personnes parmi lesquelles une dizaine sont grièvement blessées. L'une d'entre elles décède quelques heures plus tard. Même scénario à Grenoble et dans le Val-de-Marne où un automobiliste trouve la mort.

Dans la journée du 13 juillet, quatrième rassemblement, exclusivement parisien celui-ci : 500 000 personnes se retrouvent sur les Champs-Élysées pour voir parader les nouveaux champions du monde dans une ambiance conviviale mélangeant drapeaux et chants : il s'agit de prendre part à un événement considéré comme historique. Après avoir participé au journal de Jean-Pierre Pernaud à 13 heures sur TF1, les héros envisagent de commencer le défilé à 14 heures. Mais la foule venue exulter est si compacte que l'autobus à impériale sur lequel sont perchés les joueurs, trophée en main, doit finalement renoncer à

---

13. *L'Équipe*, 11 juillet 1998.
14. *Le Monde*, 14 juillet 1998.
15. *Le Figaro*, 16 juillet 1998.

rejoindre la place de l'Étoile. L'image du bus noyé dans cette marée humaine constitue un moment fort de l'aventure des Bleus.

Des personnes des deux sexes, de tous les âges et de toutes les origines ethniques se rencontrent : maillots bleus, joues, fronts et nez peints et repeints à la sauvette par des coloristes improvisés, grands drapeaux bleu, blanc, rouge confectionnés à la hâte, quelques drapeaux algériens, çà et là, bien admis et faisant bon ménage avec l'océan tricolore. Le bonheur est tel que « tout le monde aime tout le monde », que chacun congratule son voisin : Marcel Desailly a vécu ce 13 juillet comme un moment inoubliable, mêlé à une foule innombrable, « presque effrayante [16] ».

Interpréter le message de la foule : le football, rite moderne

Des foules pour des manifestations festives et sportives : voilà, en cette fin de siècle, l'un des principaux ressorts de l'élan populaire. C'était certes déjà le cas auparavant et ce sera encore le cas en Corée et au Japon en 2002, puis en Allemagne en 2006 : le football fait descendre les gens dans la rue. Un nouveau genre de liturgie universelle s'instaure tout particulièrement en période de Coupe du monde, faisant de cette manifestation planétaire un carrefour rituel fondé sur la fête des nations. En fonction des périodes, la mise en scène varie : la retransmission des rencontres sur écran géant sur les grandes places publiques est une pratique assez récente, contrairement au défilé des héros exhibant leur trophée à l'issue de leur victoire.

En France, à la suite des rassemblements de la jeunesse autour des concerts musicaux, comme celui de la place de la Nation en 1963 à l'époque des « yéyés » ou celui de SOS-Racisme en 1985, place de la Concorde, la fréquentation des stades traduit une culture commune qui, grâce aux relais médiatiques, prend une ampleur mondiale.

Henri Tincq, dans *Le Monde*, compare le Mondial de football au « Mondial de la foi » caractérisé par les Journées mondiales de la jeunesse (JMJ) qui se sont déroulées à Paris l'année précédente, du 19 au 24 août 1997, en présence du pape Jean-Paul II. Un million de jeunes venus pour communier, chanter et prier ont symbolisé une fraternité universelle que la Coupe du monde vient prolonger. Les deux

---

16. Marcel Desailly, *Capitaine*, Paris, Stock, 2002.

événements révèlent de nouvelles recompositions de la société française : une mobilisation plus importante que prévu dans la mesure où tout le pays s'est approprié l'événement, un besoin de se rencontrer, de se reconnaître, de partager une sensibilité. L'historien Michel Vovelle perçoit dans cette liesse populaire les signes d'une dépolitisation et compare ces déferlements à l'émotion suscitée par la mort accidentelle de la princesse Diana en 1997 : le « souci d'être ensemble » qui transcende générations et classes sociales, bien plus que celui d'une affirmation politique[17]. Cette manière de penser est partagée par le philosophe Gilles Lipovetsky et le sociologue Michel Fize évoquant un « événement prétexte » où seul compte le désir de se défouler, de faire la fête. D'autant que le football, sport mobilisateur, produit une émotion collective assez inoffensive et éphémère, une sorte d'effet de mode[18] auquel tout le monde peut céder sans difficulté. Dans la mesure où les idéologies sont déclinantes, à l'ère du vide ou du postmoderne[19], seul ce qui jadis pouvait apparaître futile devient enjeu de mobilisation.

Il faut inscrire les effets de la Coupe du monde 1998 dans ce processus qui, sans véritable idéologie, met l'accent sur les vertus festives de la manifestation urbaine. La rue, occupée par des rassemblements spontanés autour d'événements spectaculaires éphémères et surmédiatisés, donne l'occasion d'exprimer un besoin de recomposition et d'unité face à l'éclatement de la société et aux solitudes qu'il engendre. Si « la France s'enivre », il ne faut pas ridiculiser cet enthousiasme populaire, selon le *Journal du dimanche*, au contraire : « Vive l'exagération ! Elle est consubstantielle au sport et proportionnelle à l'effort accompli par les joueurs. La France se regarde dans le miroir de la grande pelouse du stade. Surprise, elle se croyait souffrante et pâle et elle s'y voit belle, dynamique, colorée, passionnée et victorieuse[20]. »

Les scènes de fraternisation des supporters permettent de mieux dépasser les inquiétudes engendrées par le phénomène de la mondialisation. À travers la participation à une même liturgie, concert de rock, compétition sportive, célébration religieuse, se tisse un fil citoyen. À des

---

17. *Le Journal du dimanche*, 19 juillet 1998.
18. *Le Figaro*, 14 juillet 1998.
19. Voir Gilles Lipovetsky, *L'Ère du vide, le crépuscule du devoir et l'empire de l'éphémère*, Paris, Le Seuil, 1983, et *Les Temps hypermodernes*, Paris, Grasset, 2004.
20. *Le Journal du dimanche*, 19 juillet 1998.

échelles différentes, ces événements permettent de rétablir provisoirement des climats de confiance[21]. Sur ce point, Pierre Georges, dans sa chronique du *Monde*, insiste sur le « phénomène de société » que représente le football, même s'il faut raison garder :

> La société existait avant. Elle existera après. Ni meilleure ni pire. Vivante et cloisonnée. Ouverte et injuste. Généreuse et oublieuse. Capable de s'émerveiller d'un si beau métissage et tout aussi capable d'en faire son plus absurde tourment. Le soufflé est sympathique, mais il ne durera sans doute que ce que dure ce genre de montgolfière gastronomique [...], une grande fête donc. Et ce n'est pas si mal une fête populaire. C'est une autre grande découverte du moment : le peuple existe ! Et le peuple de tous ces jeunes notamment qui ont sauté sur ce Mondial comme sur une providence, une aubaine, une revanche contre le discours dominant de crise, de chômage, de défiance du voisin[22].

L'avenue des Champs-Élysées, en particulier, a pu écrire, grâce à l'équipe de France, une nouvelle page de son histoire. Déferler sur la principale avenue de la capitale et du pays devant les caméras qui renvoient le spectacle dans chaque foyer procure un plaisir supplémentaire à celui qui a la chance d'en être[23]. D'autant que, par tradition, elle a été le théâtre de grands rassemblements de la nation. Le 12 juillet 1998 fait suite au 26 août 1944, à l'heure de la Libération de la France, lorsque le général de Gaulle, découvrant stupéfait la présence de deux millions de personnes venues l'acclamer sur les Champs-Élysées, s'exclame : « Ah, c'est la mer ! » Charles de Gaulle descend alors triomphalement l'avenue jusqu'à la cathédrale Notre-Dame, accompagné des principaux responsables de la Résistance, des chefs militaires de la 2e division blindée et des membres du Gouvernement provisoire de la République française (GPRF), au milieu d'une marée humaine et dans un enthousiasme indescriptible.

Dans la rue, le peuple a exprimé son envie de faire la fête : cette victoire bienvenue est une bonne occasion, libérée du poids d'un engagement politique. Relayée dans l'opinion publique, la joie spontanée a gagné l'ensemble des foyers français.

---

21. *Le Monde*, 23 août 1998.
22. *Le Monde*, 12-13 juillet 1998.
23. *Le Figaro*, 15 juillet 1998.

5. LE MOMENT ANTIRACISTE

Les journées qui suivent le Mondial sont un moment de grâce collective sur fond de message antiraciste : victorieuse et multicolore, l'équipe de France renvoie dos à dos adversaires du ballon rond et adversaires des immigrés. Au nom des vertus « intégrationnistes » du football, Zidane et ses coéquipiers deviennent les héros d'une République ravie de se sentir soudain multiraciale.

La victoire sportive est le miroir d'un changement des mentalités, comme le note un journaliste : « Tout ce qui s'est passé autour de l'équipe de France, tout ce qu'on a pu vérifier en évoquant une victoire multicolore montre qu'il y a quelque chose de plus profond dans la conscience d'une réalité propre à la France. C'est bien la preuve que tous les discours racistes, d'exclusion ou anti-jeunes, produits par une société qui a besoin de boucs émissaires, n'ont pas la place dans ce pays[1]. » Enthousiaste, l'opinion s'admire dans l'image d'un peuple acquis à la diversité culturelle. Ouverts à la différence, les Français retrouvent la perspective du « tous ensemble, tous ensemble ! », slogan né lors des mouvements sociaux de décembre 1995, lorsqu'une grève de très grande ampleur a paralysé la France pendant plusieurs semaines au nom de la défense des services publics, réussissant à empêcher un ensemble de réformes prévues pour remettre en cause les acquis sociaux[2]. Les médias ont véhiculé un discours de générosité, plaçant les relations interculturelles au centre de l'attention publique.

---

1. *L'Humanité*, 27 juillet 1998.
2. Voir René Mouriaux et Sophie Béroud (dir.), *Le Souffle de décembre. Le mouvement social de décembre 1995, continuités, singularités, portée*, Paris, Syllepse, 1997 ;

Ce « moment antiraciste » a retenu l'attention des sportifs issus de l'immigration. Ainsi Abdelatif Benazzi, d'origine marocaine, ex-capitaine de l'équipe de France de rugby : « Ce fut vraiment une victoire fraternelle sans distinction de religion, de couleur de peau, de race. Et ça, c'est très important car le mélange des cultures s'est fait sans problèmes [dans cette] équipe de France qui montre la voie à suivre pour régler les problèmes d'intégration. »

En 1998, la France semble ainsi en mesure de percevoir différemment les populations issues de l'immigration : le racisme paraît reculer. Certaines enquêtes de journalistes effectuées « à chaud » dans des lieux ordinaires sont aujourd'hui utiles à l'historien pour restituer la dimension populaire de l'engouement pour le football et la complexité des messages antiracistes.

Un contexte favorable

D'une manière similaire au « moment antisémite » repéré un siècle plus tôt, le « moment antiraciste » de 1998 bénéficie d'un ensemble de circonstances favorables. Depuis l'émergence du débat sur l'immigration au milieu des années 1980, les Français sont devenus familiers des questions liées aux différences culturelles. Si, le plus souvent, l'aspect négatif l'emporte, sous l'impulsion d'un Front national capitalisant des attitudes racistes bien enracinées, la question de la présence durable de migrants a aussi offert quelques épisodes médiatiques heureux, contrastant avec les difficultés vécues sur le terrain.

La Marche des Beurs contre le racisme et pour l'égalité, reçue par le président Mitterrand à l'Élysée en décembre 1983, le concert de SOS-Racisme place de la Concorde en 1985, l'« union sacrée » des populations issues de l'immigration en France pendant la guerre du Golfe en 1991 ou le vaste mouvement de solidarité en faveur des sans-papiers en 1996 sont autant d'épisodes qui ont promu l'antiracisme, et à la suite desquels s'inscrit la Coupe du monde de 1998.

Après plusieurs décennies de mouvements sociaux, de politiques publiques, de faits divers dramatiques, de polémiques, le discours de la tolérance est désormais reconnu, trouvant sa place aux côtés de

Claude Leneveu et Michel Vakaloulis (dir.), *Faire mouvement. Décembre 1995*, Paris, PUF, 1998.

manifestations culturelles ou festives. Mais il n'est que la face claire d'une réalité plus complexe incluant les problèmes d'intégration et de discrimination récurrents dans la France de la fin du XXe siècle, faisant craindre à tout moment une dérive populiste. De telle sorte que, sur la question de l'immigration, les messages médiatiques se brouillent : la passion des Français s'exprime tantôt à travers la tolérance et tantôt à travers l'exclusion parfois brutale. Les propos de Michel Schifres, journaliste du *Figaro*, au sujet de la notion de « temps suspendu », expriment bien cette ambiguïté à la veille de la finale :

> Encore faut-il se garder de faire dire au sport plus qu'il n'en espère lui-même. Pourtant, quel vacarme ! Ceux qui en d'autres temps et sous d'autres régimes auraient dénoncé l'utilisation politique du football avaient tourné casaque. Les mêmes qui les semaines précédentes se désespéraient de la violence intrinsèque du foot, à grand renfort de hooligans, en découvraient les vertus. Et d'annoncer la naissance de la France multicolore. Et de chanter la victoire de l'intégration. Et de vanter le modèle français. Et d'exalter les bienfaits du patriotisme. À les écouter, la France était délivrée de ses soucis et de ses démons, soudain pacifiée. Le Mondial avait vaincu. Personne au fond ne s'y trompe : passé ce temps suspendu, la France retrouvera ses divisions et ses déchirures. Rien ne changera, mais pendant un mois les Français se sont rassurés : sans être vraiment dupes de leur propre jeu, ils se sont rappelé qu'ils pouvaient être rassemblés, généreux et fraternels. Ils ont partagé les mêmes émotions. Ce partage n'a pas à être exagéré par les professionnels de l'enthousiasme, il est en soi positif. Ce n'est déjà pas si mal[3].

« Black, blanc, beur », l'équipe finaliste du Mondial apparaît aussi comme un modèle d'intégration réussie. Parmi les supporters, combien sont-ils à tenir pour la première fois de leur vie un drapeau tricolore ou à chanter *La Marseillaise*, explorant ainsi le sentiment patriotique ? Les dernières générations n'ont guère eu l'occasion de se rassembler, de vivre des choses ensemble. Mais, en juillet 1998, « la coiffeuse de Mont-luçon, le paysan de Mussy-sous-Dun, le chômeur de Paris ou le rentier de Nice ont communié avec la victoire des Bleus. L'histoire, celle-là

---

3. *Le Figaro*, 11 juillet 1998.

même qui nous a appris à nous méfier de l'union sacrée et de ses évidences, retiendra qu'un match de foot aura rassemblé toutes les catégories socioprofessionnelles, politiques, sexuelles, ethniques comme jamais[4] ». Jusque dans les lieux les plus reculés, la France a vibré pour le même enjeu.

La France en effervescence

Le soir de la victoire, un « antiracisme ordinaire » s'exprime dans la capitale. Sur un trottoir, Roland, 60 ans, s'adresse à Ibrahim, 25 ans, flanqué d'un solide accent parisien : « Vous êtes noir ! La première fois que j'ai vu un Noir, c'était au moment de la Libération avec les Américains. Ma fille est mariée à un Indonésien. Maintenant la vie, elle veut ça. » Et Ibrahim lui répond : « La France, quand elle fait des discriminations, elle perd. Là, on était obligés de gagner. » Albelghani, étudiant marocain, s'exclame : « Ce soir, c'est une nouvelle France qui s'embrasse et se trouve belle, à l'image de son équipe de foot. C'est la France qui comprend qu'elle est multiple[5]. » Même ambiance à l'Hôtel de Ville : des adolescents marchent sur les toits, sur les gouttières, certains sont suspendus aux lampadaires : « Les Noirs et les Arabes, vous allez prendre votre victoire ce soir », crie un jeune. « Donnez-leur des papiers ! » lui répond un inconnu dans la foule. Rue de Rivoli, dans une marée humaine, Mustapha, un Toulousain de 25 ans, embrasse hommes et femmes qui passent à côté de lui : « Ma patrie... Ma passion, c'est même pas le foot, c'est la France. »

Cet état d'esprit se confirme en province. Avec le souci de proposer des reportages « d'ambiance », plusieurs journalistes de la presse écrite et audiovisuelle sont envoyés dans des communes considérées comme représentatives de la « France profonde », mais dont la particularité est de voter massivement pour le Front national.

Avant la finale, Luc Rosenzweig pour *Le Monde* enquête sur la manière dont on se passionne pour les Bleus à la station de Pic-Mentonnex, en Haute-Savoie, où la plupart des habitants sont des sympathisants d'extrême droite – sans côtoyer d'immigrés, inexistants dans

---

4. *Ibid.*
5. *Libération*, 13 juillet 1998.

la commune[6]. Des propos amers, entendus çà et là, ne font que confirmer cette orientation. L'un des bars de la ville est le théâtre d'échanges verbaux confus qui finissent par se focaliser sur le caractère multiethnique de l'équipe de France. L'éloge dithyrambique, maintes fois réitéré, de « ce Zidane qui peut nous emmener au paradis » succède souvent à quelques éructations antimaghrébines, sans que cela apparaisse à quiconque comme une contradiction. L'une des caractéristiques du racisme, qui consiste à vouloir exclure une catégorie de population dans son ensemble tout en défendant les membres de celle-ci que l'on fréquente au quotidien, est confirmée en plein match lors d'un arrêt de jeu. Roger, chef d'une petite entreprise, encouragé par les prouesses de l'équipe « black, blanc, beur », n'hésite pas à faire l'éloge de Larbi, son employé qu'il présente comme un modèle : « S'ils étaient tous comme lui, c'est sûr qu'il n'y aurait pas de racisme en France. » En outre, Pic-Mentonnex dispose en la personne d'Hassan un « Zidane de la boulangerie » dont la réputation dépasse largement les limites de la commune. Des files d'attente se forment donc régulièrement devant son magasin, qui vend les meilleures spécialités du canton, comme les bugnes. Cependant, en dépit de ces exemples probants, il n'est pas question de faire changer d'avis le tiers de racistes parmi les habitués du bar. Les propos de l'un d'entre eux résument l'état d'esprit ambiant : « S'ils sont bons ces Arabes, au football comme dans le monde du travail, c'est qu'on les tient serrés. » Mélange de racisme et de patriotisme, la situation de Pic-Mentonnex illustre bien la confusion des attitudes concernant l'intégration des populations immigrées engendrée par la Coupe du monde.

Quelques jours après la victoire, *Libération* envoie ses reporters à Noyon, grosse bourgade de l'Oise où le vote en faveur du Front national est également plus élevé que la moyenne. Avec la victoire finale, la ville a changé de visage, « elle a oublié d'être raciste », et le match est vécu comme une parenthèse de fraternité. Le temps d'une nuit, les 15 000 habitants, parmi lesquels 20 % sont des étrangers, ont « aimé ces enfants d'immigrés ». Sega, 15 ans, vivant à la cité Beauséjour, confirme cette attitude : « Les gens, pour une fois, n'étaient plus racistes. On est descendus dans le centre faire la fête, ils te souriaient, ils te parlaient. D'habitude ici, quand tu es noir ou *reubeu*, on te regarde mal. Là, j'ai vu un mec avec une 605 toute neuve. Y avait des mecs de la ZUP qui étaient montés sur le capot de sa caisse. Lui, il klaxonnait et rigolait

---

6. *Le Monde*, 9 juillet 1998 ; voir également un autre instantané le 10 juillet.

avec eux. » L'armurier du centre-ville raconte : « On a pris la voiture pour klaxonner. C'est vrai que dans les rues, c'était tout mélangé, mais je n'y avais pas fait attention sur le coup. » À la question de savoir si cette embellie dans les relations interculturelles peut durer, le commerçant fait la moue : « Ça dépend s'ils ont envie de s'intégrer. Mais c'est vrai que, l'autre soir, ils avaient des drapeaux français. » Le gérant d'un bar admet : « On a tous pété les plombs ce soir-là. Ma femme ne m'a pas reconnu. C'est la première fois que je vois tant de gaieté à Noyon. Il n'y avait plus de retenue, plus d'animosité, plus aucune distinction de race. Tout le monde a fait la fête sans qu'on se sente en insécurité. » L'un de ses clients rajoute dans un murmure : « C'est malheureux à dire, mais, pour une fois, ils n'étaient pas descendus pour tout casser. » Une image frappe les esprits – des jeunes issus de l'immigration maghrébine chantent : « On a gagné ! » sur la place de la mairie comme ils l'avaient fait trois ans auparavant lorsque le candidat RPR Bertrand Labarre avait été élu maire au second tour des élections municipales contre le candidat du Front national, Pierre Descaves. À l'époque, cela avait été jugé indécent. Parmi eux, Mourad, 21 ans, voit dans ce succès la victoire du métissage. Dans cette ville frileuse, repliée sur elle-même, *Libération* donne la mesure de la profondeur du racisme ordinaire que la victoire a quelque peu atténué.

Ces deux exemples traduisent un sentiment général, partagé dans bien des communes : le racisme, sans disparaître, s'exprime avec moins d'évidence. Parfois, il est même remplacé par un « antiracisme ordinaire » mettant en avant les bienfaits de la présence immigrée en France, que le football illustre au mieux.

6. L'INTÉGRATION, UNE VALEUR EN HAUSSE

Réévalué grâce à la Coupe du monde, le discours sur l'intégration connaît un nouvel élan. Peu convaincant depuis la création du Haut Conseil à l'intégration en 1989, ses contours semblent désormais mieux dessinés grâce au football. D'une part, le déclin du racisme apparaît comme un gage de succès de l'intégration, et d'autre part les banlieues, perçues comme l'espace représentatif de l'échec de l'intégration, améliorent leur image grâce au succès de Saint-Denis.

Le racisme en déclin

Ce moment de liesse agit sur les indicateurs du racisme : ils sont en baisse. L'analyse de l'enquête annuelle de la Commission nationale consultative des droits de l'homme (CNCDH)[1] met en lumière une nette décrispation de l'opinion sur la question de l'immigration. Plus confiants qu'une décennie auparavant, les Français constatent la bonne marche du processus d'intégration.

Les résultats du sondage annuel effectué à l'automne 1998 et publié en mars 1999 à l'occasion de la Journée internationale contre la discrimination raciale reflètent une relative modération de l'expression du racisme dans l'Hexagone et tranchent nettement avec ceux

---

1. Créée en 1988, la CNCDH, organe consultatif placé auprès du Premier ministre, demande chaque automne à l'institut CSA-Opinion de poser les mêmes questions sur le racisme, enregistrant ainsi les soubresauts de l'opinion.

des enquêtes précédentes, les sondés oubliant leur morosité chronique. Si la France reste taraudée par le racisme et se montre toujours inquiète en matière d'intégration, elle se présente cependant plutôt moins hostile aux Maghrébins et plus rétive à la discrimination raciale. Ainsi, pour 60 % des sondés, soit 18 % de plus qu'en 1992, les immigrés sont une « source d'enrichissement culturel[2] ». La vision de l'immigration comme apport positif à l'économie française ne cesse de progresser : 42 % y souscrivent contre seulement 27 % en 1991. 62 % des sondés trouvent les Beurs « sympathiques » contre 56 % en 1990. Cette progression relative de la tolérance est confirmée par les réponses à la question : « Selon vous y a-t-il trop de... ? » ; alors que, en 1990, 70 % des personnes interrogées répondaient positivement s'il s'agissait des « Arabes », ils ne sont plus que 51 % en 1998 ; pour les Noirs, la proportion a baissé de 46 % en 1991 à 30 % en 1998.

À la lecture de ce rapport, la France multicolore et tolérante, ouverte aux étrangers et rebelle au racisme, n'est plus seulement une vision fugace apparue au lendemain de la victoire de l'équipe, il s'agit d'une orientation durable.

Selon de nombreux observateurs, à la faveur de cet événement, la France aurait soudainement procédé à une mutation plus globale : « L'image de notre pays a changé », déclare le publicitaire Jacques Séguéla[3] ; « Ce Mondial qui a changé la France », titre L'Express[4]. Et la nouveauté, c'est bien le rejet du racisme : Marianne défend le « foot pluriel[5] », dans la mesure où il ne s'agit pas seulement d'une équipe « bleu, blanc, rouge », mais aussi d'une équipe « black, blanc, beur » à l'image de la France du moment, « celle qui peut aller très loin si elle sait oublier ses peurs et ses divisions ».

Toutefois, les avis basculent en faveur du multiculturel, notamment après les buts de Lilian Thuram : « Vive la France des Nègres et des Bougnoules ! » vocifère-t-on çà et là. La République, grâce au football, a retrouvé ses vertus : patriotisme chaleureux plutôt que

---

2. Le Monde, 25 mars 1999, à partir d'une enquête effectuée par CSA-Opinion du 23 novembre au 1er décembre 1998 sur un échantillon national représentatif de 1 040 personnes.
3. Le Parisien, 10 juillet 1998.
4. L'Express, 16 juillet 1998.
5. Marianne, 13 juillet 1998.

nationalisme obstiné, intégration plutôt que rejet, affirmation de la différence plutôt qu'uniformité. Dans un entretien au *Monde*, Aimé Jacquet n'hésite pas à enfoncer le clou : « La France s'est reconnue à travers cette équipe multiethnique[6]. » Les propos de Jean-Marie Colombani, dans son éditorial à la une du *Monde* intitulé « La parabole Jacquet », reprennent le message de l'entraîneur français et insistent sur son rôle catalyseur en matière d'ouverture à l'Autre :

> Tout reste en l'état. Tout, c'est-à-dire la somme de nos maux, qu'un match de football ne saurait effacer. Et qui ont de fortes chances de ressurgir après la fête. Pourtant domine dans l'euphorie qui a gagné le pays l'idée que quelque chose a changé ou peut changer dans la conscience collective, ayant trait à notre propre identité, telle qu'elle s'est affirmée à travers un grand spectacle planétaire : multiraciale, c'est-à-dire noir, blanc, beur. [...] Et s'il est vrai que le principal combat aujourd'hui est celui de l'intégration, alors regardons du côté d'Aimé Jacquet. Il incarne trois forces intégratrices qui existaient autrefois : l'instituteur laïque, celui qui a imposé une certaine lenteur méthodique, un travail rigoureux ; le curé de campagne fort de sa foi dans le travail de groupe ; et l'ouvrier à l'accent stéphanois dur au labeur érigeant la cohésion en valeur première. Et voilà Aimé Jacquet symbolisant une unité nationale refondée sur les pelouses au terme d'une « guerre » mondiale ludique.

Dans *Le Figaro magazine*, Aimé Jacquet affirme que « les valeurs de fraternité, d'échange, de générosité sont celles de tous les Français[7] ». De son point de vue, l'identité française est multiethnique, reflet de la population du pays.

Dans son éditorial dans *La Vie*, Jean-Claude Petit assimile la Coupe du monde à une « tornade joyeuse, rompant sur son passage les digues de nos crispations les plus variées[8] ». Dans une ambiance multicolore et fervente, que ni les hooligans ni les néonazis n'ont réussi à perturber, des millions de personnes ont vibré aux exploits techniques, aux performances physiques, aux coups de génie esthétiques. Reprenant le

---

6. *Le Monde*, 18 juillet 1998.
7. *Le Figaro magazine*, 25 juillet 1998.
8. *La Vie*, 16 juillet 1998.

slogan de la Coupe du monde, « C'est beau un monde qui joue », le journaliste affirme que « c'est beau aussi un monde qui fraternise » : maillots échangés, mains qui se tendent pour relever l'adversaire, embrassades interminables, des Noirs, Blancs, Jaunes se congratulant, chantant, dansant de bonheur. L'intégration s'en trouve ainsi renforcée, comme les prémices d'une mondialisation heureuse : « La Coupe du monde [est la] fête de la tolérance rêvée ! [...] Elle aura fait progresser des millions d'hommes et de femmes vers ce bel univers du métissage où l'identité et l'ouverture font la véritable humanité. »

L'abondant courrier reçu par les journaux, les discussions avec les auditeurs des grandes stations de radio rendent compte de l'importance de ce moment antiraciste. Plusieurs dizaines de lecteurs chrétiens de *La Croix* s'estiment heureux du rôle intégrateur de la compétition [9].

La banlieue, autre vainqueur du Mondial

Fin juillet 1998, traçant un premier bilan des festivités liées à la Coupe du monde, *Le Monde* constate que la banlieue est l'« autre vainqueur du Mondial [10] » : Zinédine Zidane, Lilian Thuram et leurs coéquipiers ont donné aux enfants issus de l'immigration une autre image d'eux-mêmes. La couleur du faciès n'est plus un délit, il est désormais possible d'être fils et petit-fils d'Africain, d'avoir des racines guadeloupéennes ou canaques tout en incarnant la nation au point de devenir héros national. La banlieue a bénéficié de la charge symbolique dégagée par la Coupe du monde, ce qu'un sondage réalisé avant la finale traduit en chiffres : 57 % des personnes interrogées considèrent que la compétition et les résultats de la France contribueront à améliorer les relations entre ville et banlieue [11]. Cette bonne nouvelle n'est pas tout à fait une surprise. Le choix de bâtir le Stade de France à Saint-Denis révèle une volonté de faciliter l'intégration de la banlieue à l'espace public par le biais du football ; plusieurs opérations ont d'ailleurs été prévues pour l'associer à l'événement.

En marge de la compétition, des opérations de promotion de l'antiracisme par le football sont organisées pour les jeunes des banlieues. Le

9. *La Croix*, 9 septembre 1998.
10. *Le Monde*, 24 juillet 1998.
11. Sondage Ifop-*Événement du jeudi*, réalisé les 9 et 10 juillet 1998, *L'Événement du jeudi*, 16 juillet 1998.

projet « Banlieues du monde 98 » rassemble 36 délégations d'environ 700 jeunes venus de villes françaises et étrangères dans un tournoi à Saint-Denis, « pour que la jeunesse soit pleinement associée à la Coupe du monde ». Les organisateurs, la municipalité et le conseil général de Seine-Saint-Denis, associés au réseau du Printemps de Bourges, se donnent pour objectif de mêler manifestations sportives et musicales à partir du printemps 1998. L'aboutissement de ces rencontres est prévu au stade Mandela, voisin du Stade de France, au début de juillet[12].

Les « Écrans du monde 98 », opération de communication lancée en juin 1998 alliant fonds publics du ministère de la Jeunesse et des Sports et fonds d'entreprises, envoient quatre camions de quinze tonnes surmontés d'un écran de quarante mètres carrés dans des zones urbaines sensibles de grandes villes. Leur vocation est d'apporter aux jeunes qui n'ont pas la possibilité d'assister aux matchs dans les stades « un peu de cette Coupe du monde qui est tellement proche et si lointaine ». Ainsi, un million de Français sont attendus pour assister à ces retransmissions gratuites en direct en région parisienne, Rhône-Alpes, Alsace-Lorraine et dans le Sud. Mais décidée trop tardivement, cette opération n'a pas obtenu le succès escompté[13].

De son côté, SOS-Racisme organise les « Nuits antiracistes de la Coupe du monde », en partenariat avec le ministère de la Jeunesse et des Sports : dix soirées programmées durant le Mondial dans certains quartiers de Créteil, Sarcelles, Viry-Châtillon ou Nantes, autour de la retransmission des matchs. Le but est de créer une ambiance de fête autour des valeurs liées au métissage[14]. L'ancien international Basile Boli, le 1er juin, exprime son sentiment dans une tribune à *Marianne* : « Je rêve de stars du peuple, de footballeurs allant dans les cités[15]. » Sa voix est celle de l'intégré qui a géré sa carrière dans cette perspective : « Je suis chez moi ici, banlieue, Paname, Blancs, Noirs, Beurs, Chinois, Juifs, Gitans, on s'en fout, on est nous. »

La Plaine Saint-Denis a été un haut lieu de l'industrie de l'Île-de-France jusqu'au milieu des années 1970. Avec la crise et les restructurations, la fermeture de bon nombre d'usines a laissé des plaies béantes dans le paysage urbain. Le projet d'y implanter le Stade de France a

---

12. *Le Monde*, 14 avril 1998.
13. *Le Monde*, 20 juin 1998.
14. *L'Humanité*, 30 mars 1998.
15. *Marianne*, 1er juin 1998.

été présenté comme un symbole de réhabilitation des zones défavorisées dans un département qui entend profiter du coup de projecteur médiatique pour affirmer son poids économique et son identité[16]. La fête dionysienne est réussie : ce morceau de « banlieue rouge[17] » a été le centre du monde durant cinq semaines. Le Mondial révèle ainsi aux Français un département « jeune, tonique, coloré où se prépare la France de demain », loin des stéréotypes ambiants[18]. Patrick Braouezec, le député-maire communiste de Saint-Denis, jouit d'une excellente réputation. Non seulement il s'est battu pour le Stade de France tout en défendant les sans-papiers[19], mais il est aussi persuadé que le Mondial changera le regard de l'opinion sur la banlieue : « On a vécu à Saint-Denis des moments inoubliables qui marqueront notre ville, je crois, de manière durable[20]. »

À proximité du Stade de France, à l'issue de la finale, malgré la conscience d'être écartés de la fête, loin des privilégiés détenteurs de billets, la fête bat son plein chez les dionysiens. Malek a regardé le match à *L'Escargot*, un bar-brasserie de son quartier, avant de rallier le centre de Paris un peu plus tard dans la nuit. Dans un autre bar de la rue Gabriel-Péri, Brahim, entre deux gorgées de vin rosé, tend fièrement un petit drapeau algérien en jubilant : « Tu te rends compte que c'est un Kabyle qui gagne la Coupe du monde pour la France ! Zidane mon frère, Dieu t'a porté ce soir[21]. »

La liesse de Saint-Denis se transmet à toutes les banlieues de l'Hexagone. Les journalistes ne s'y trompent pas : beaucoup choisissent des quartiers réputés chauds pour suivre les rencontres décisives de l'équipe de France. Une équipe de journalistes de *Libération* recueille plusieurs réactions significatives au sein de la population des îlots communautaires et des banlieues de Paris et de Strasbourg, le soir de la demi-finale France-Croatie. Si la fête est savourée de bon cœur par les jeunes des cités, il ne s'agit pas pour autant de l'aboutissement suprême et il ne faut pas confondre leur avenir avec une nuit comme celle-là,

---

16. *Le Monde*, 12 janvier 1998, et *L'Humanité*, 20 juin 2000.
17. Voir Annie Fourcaut (dir.), *Banlieue rouge (1920-1960)*, Paris, Autrement, 1992.
18. *L'Événement du jeudi*, 23 juillet 1998.
19. *Libération*, 10 juillet 1998.
20. *L'Humanité*, 27 juillet 1998.
21. *Le Monde*, 14 juillet 1998.

« nombreux sont ceux qui ont appris à se protéger des excès d'illusions[22] ». La plupart, même s'ils ressentent de la joie, ne sont pas dupes : « Notre vie ne va pas changer grâce au Mondial. » Mais, pour une fois, les médias évoquent les jeunes issus de l'immigration autrement qu'à travers les rodéos en voitures volées. Au lendemain de cette victoire, chez des coiffeurs africains de la banlieue parisienne, Maxime, un Malien, arrive en criant : « Les Africains ont sauvé la France ; quand Thuram a marqué le second but, j'ai ouvert ma fenêtre et crié : "On doit maintenant respecter la France[23]." » Un peu plus loin, Moussa, Ivoirien de 35 ans et père de deux enfants français, n'en revient pas ; après avoir hurlé jusqu'à 4 heures du matin, il a sorti un drapeau bleu, blanc, rouge prêté par un cousin qui travaille dans l'armée, lui l'« indigène », et il a sillonné les rues de Paris : « Les Français ont joué ensemble, Blancs et Noirs. » Malgré la réalité du racisme au quotidien en raison de sa peau noire et celle de ses enfants, il raconte que dans la rue, après la victoire, personne ne pensait à cela : « On se prenait tous main dans la main, Blancs, Noirs, Jaunes. » Quant à Binsika, Zaïrois de 30 ans, il raconte sa folle virée pour fêter la qualification pour la finale, dans une joie immense. Après avoir vécu en France neuf ans dans la clandestinité, voir Lilian Thuram marquer lui redonne l'envie de se battre, de croire en l'intégration et à la lutte des sans-papiers pour le droit de vivre dans un pays qu'il considère comme le sien.

À l'heure de la finale, près de la station de métro Jean-Jaurès dans le XIXe arrondissement de Paris, des milliers de personnes entonnent *La Marseillaise* devant un écran géant. Amid, qui avait soutenu le Maroc au début de la compétition, se déclare désormais « à fond pour les Bleus », ayant un faible pour Zinédine Zidane : « Il est beur, il vient d'une cité, il est comme nous, quoi. » Greg, lui, aime bien Thierry Henry : « Il est antillais comme mon père, il a grandi aux Ulis, comme moi. » Nasser, 36 ans, le regard rivé sur l'écran, affirme : « Nous, les Beurs, on a le cul entre deux chaises. Le Mondial, c'est une occasion d'extérioriser ce qui nous lie à ce pays. On a envie de montrer qu'on est né ici. » Les propos sont interrompus par une clameur, la France vient de marquer le deuxième but. Les bras en l'air, Chinois, Pakistanais, Français, Beurs, tous sautent de joie, et Amid exulte : « T'es français, j'suis français, elle est française, on est tous français ! »

---

22. *Libération*, 10 juillet 1998.
23. *Ibid.*

Dans l'Essonne, à la Grande Borne, Yassine se montre plus ironique : « C'est marrant, les fils d'étrangers, quand ils font gagner la France, on dit qu'ils sont français ; quand ils sont en prison, on dit qu'ils sont d'origine étrangère. » À Mantes, une belle fête se déroule durant toute la nuit sans incident ni rodéo. À Hautepierre, dans la banlieue de Strasbourg, Yahyaoui, Naji, Fari, Ernest, Mounir vibrent tous devant leur poste et hurlent : « On est pour la France, on est français ! » Ils bondissent de joie quand les Bleus marquent, même s'ils penchaient d'abord pour l'équipe de leur pays d'origine.

Face à l'engouement généralisé, constatant une embellie antiraciste et une accalmie dans les banlieues, les milieux associatifs et militants oscillent entre satisfaction, effervescence et volonté de garder la tête froide. Dans les milieux antiracistes, certains émettent même des réserves sur ces avancées. Pour Jean-Pierre Alaux du Groupe d'information et de soutien aux travailleurs immigrés (Gisti) et Mouloud Aounit du Mouvement contre le racisme et pour l'amitié entre les peuples (Mrap), la xénophilie ou le « noirisme » existent bel et bien dans certains domaines comme le sport et la musique, mais ils ne servent que d'exutoire pour permettre aux Français d'exprimer leur xénophobie ailleurs, notamment dans le domaine économique et social[24]. Les sans-papiers du troisième collectif ne partagent pas non plus l'euphorie générale. Certes, les grévistes turcs ont suivi le match avec passion, flanqués de quelques Chinois. Tous ont soutenu la France, mais pas au point de souscrire au discours ambiant sur l'intégration à la française, considéré comme de la poudre aux yeux. « Mais Jospin a de la chance, il peut faire rêver grâce à Zidane », soupire Umit, l'un des représentants du collectif[25]. Patrick Gaubert, vice-président de la Licra et ancien chargé de mission auprès de Charles Pasqua, considère que désormais une politique volontariste dépouillée des stéréotypes classiques sur les immigrés doit être enclenchée dans une perspective d'avenir[26].

Que va-t-il se passer une fois le calme revenu ? Chacun retournera-t-il dans son quartier, retrouvera-t-il ses marques, avec quel changement ? La question de l'effet à long terme de la victoire des Bleus sur les banlieues se pose dès le 12 juillet[27]. Cela suffira-t-il à libérer les Français

---

24. *Libération*, 10 juillet 1998.
25. *Libération*, 15 juillet 1998.
26. *Libération*, 10 août 1998.
27. *Libération*, 20 juillet 1998.

du racisme ? Un lecteur du *Monde* exprime un scepticisme partagé en estimant qu'il reste toujours à « gagner le match contre le racisme » ; Zidane et les siens ont contribué à faire reculer les idées reçues, mais sur ce terrain, rien n'est jamais définitivement acquis[28].

Le peuple français dans ses multiples composantes a largement célébré la victoire des Bleus. Dans les cafés, sur la place des villages, dans les rues des grandes agglomérations, au cœur de Paris, dans les cités de banlieue, hommes, femmes, aristocrates, cadres, paysans, ouvriers, d'abord devant la télévision pour la plupart puis dans les rues, ont participé à un très large élan national. Cette série de rassemblements exceptionnels donne à l'historien le tableau d'une opinion publique mobilisée sur plusieurs jours, soudainement ouverte à l'interculturel à travers un frisson collectif : la France a triomphé sous les yeux du monde entier. Première du genre, cette victoire a un sens qui dépasse le monde du sport, elle réaffirme une fierté patriotique enfouie qu'intellectuels et hommes politiques vont se charger de relayer.

Parenthèse antiraciste, l'été 1998 est porteur d'espoir pour l'avenir : les contours de l'identité française, bien flous depuis quelques années, semblent mieux se dessiner autour de valeurs modernes, capables de mobiliser les esprits et de faire descendre dans la rue. La France sera plurielle et festive, à l'image de son équipe de football, libérée de toute idéologie.

---

28. *Le Monde*, 19 août 1998.

Au-delà de l'appropriation populaire de la victoire des Bleus, intellectuels et hommes politiques, en général peu sensibles à ce sport, n'ont pas été en reste pour apporter leur réflexion et leur regard sur l'événement. Saisis par l'euphorie, une majorité d'universitaires, de chercheurs, d'écrivains, de journalistes, de chroniqueurs ont avoué à la fois leur passion [1] pour le football et constaté un nouvel élan pour l'identité française grâce aux performances des joueurs d'Aimé Jacquet. Tout aussi enthousiastes, les hommes politiques se sont montrés très concernés, voire passionnés, par le parcours des Tricolores avant d'exulter à la suite du succès final et d'adopter, pour certains, des positions différentes dans le débat sur l'immigration. Avec la Coupe du monde 1998, le football prend place dans le débat public, à la faveur des élites [2] qui lui ont accordé une importance inédite, jamais démentie depuis.

1. Voir Michel Winock, *Le Siècle des intellectuels*, Paris, Seuil, 1999 ; Michel Winock et Jacques Julliard, *Le Dictionnaire des intellectuels français*, Paris, Seuil, 2002. Voir aussi Jean-François Sirinelli, *Intellectuels et passions françaises*, Paris, Fayard, 1990 ; Jean-François Sirinelli et Michel Leymarie, *Histoire des intellectuels aujourd'hui*, Paris, PUF, 2003.
2. Voir Guy Chaussinand-Nogaret, *Histoire des élites en France*, Paris, Tallandier, 1991 ; Christophe Charle, *Les Élites de la République (1880-1900)*, Paris, Fayard, 1987 ; *id.*, *Les Hauts Fonctionnaires en France au XIXᵉ siècle*, Paris, Gallimard-Julliard, coll. « Archives », 1980 ; *id.*, *La République des universitaires (1870-1940)*, Paris, Seuil, 1994. Voir également Pierre Bourdieu, *La Distinction, critique sociale du jugement*, Paris, Éditions de Minuit, 1979, et *La Noblesse d'État : grandes Écoles et esprit de corps*, Paris, Éditions de Minuit, 1989.

7. UN PATRIOTISME RÉNOVÉ

En mettant en perspective le fameux article de Pierre Viansson-Ponté paru dans *Le Monde* en mars 1968, « La France s'ennuie », qui pressentait les journées de mai-juin 1968, Erik Izraelewicz, dans le même journal, réfléchit sur « Quand la France s'amuse[1]... » en août 1998. Mais que s'est-il passé pour en arriver à ce constat en cette fin de siècle plutôt morose par ailleurs ? Un événement sans doute qui, comme les grandes vagues populaires, dans l'histoire sont souvent présentées comme « des énigmes, des mouvements irrationnels que notre raison n'arrive pas à cerner[2] ». Les intellectuels en mal de débat vont trouver à l'occasion de la Coupe du monde une raison de s'enflammer, un siècle après Émile Zola pendant l'affaire Dreyfus, dans des perspectives bien différentes.

L'euphorie de la victoire a ravivé un sentiment patriotique qui semblait éteint depuis bien longtemps. La France a retrouvé une confiance qu'universitaires, chroniqueurs, éditorialistes, écrivains, artistes et autres intellectuels n'ont pas manqué de célébrer, mêlant passion pour le ballon rond et amour d'une France réconciliée.

Née du mouvement populaire, la valorisation intellectuelle de la patrie a alimenté une réflexion sur le modèle français. Mais quel est son dessein en cette fin du XXᵉ siècle ? Celui d'une société mosaïque, éclatée en communautés, ou celui d'une société jacobine concentrée sur un projet collectif commun ? Car, dans la célébration de la France plurielle,

---

1. *Le Monde*, 8 août 1998.
2. *La Croix*, 21 juillet 1998.

la confusion règne entre la valorisation des identités spécifiques ou au contraire l'oubli des différences en vue d'un projet commun. Sur le moment, l'enthousiasme de la célébration n'a pas permis de faire débat, tant l'unanimisme a été de rigueur. En revanche, dans les propos élogieux, on constate que chacun alimente sa propre vision de la diversité culturelle et de son rôle au sein de la République. Dans chaque prise de position, la confusion sur l'idée d'intégration règne au-delà des clivages politiques. Un brouillage qui nourrit un discours unanimiste sans contour précis où se mêlent progressistes, partisans d'une société plus ouverte à la diversité, et conservateurs, attentifs aux valeurs traditionnelles de la France.

Le retour du sentiment national

Principale révélation de la Coupe du monde : la France est une nation unifiée ou réunifiée[3]. De nombreux intellectuels s'accordent à penser qu'il se passe forcément quelque chose quand tout un pays s'arrête pour un match de football. Une grande épreuve sportive est un instrument de mesure, de vérification, d'appréciation et de renforcement des liens qui unissent les citoyens. Sur la pelouse, il y a des enfants de l'immigration et des banlieues, un peuple de joueurs de toutes les couleurs, de toutes les cultures. Le football comme « ciment des nations[4] », cadre parfait pour une mise en scène efficace d'elles-mêmes dans un spectacle qui transcende leurs nombreuses fractures et qui parvient à suggérer aux membres de leurs sociétés émiettées qu'une véritable cohésion sociale peut exister. Lors des grandes manifestations sportives, on ne peut qu'être frappé par le besoin si évident d'affirmation de l'identité nationale. De ce fait, le football confirme que le sentiment national est indépassable. Discrètement, ce triomphe sportif a porté un coup au lobby européen. Survenant à l'heure de l'application du traité de Maastricht et de la mise en circulation de l'euro, cet investissement affectif sonne comme un rappel aux réalités : une impressionnante demande de nation par les Français, que le vote majoritaire en faveur du « non » lors du référendum européen du 29 mai 2005 viendra confirmer.

---

3. *Le Journal du dimanche*, 5 et 12 juillet 1998.
4. *Le Monde*, 4 juin 1998.

Télévision, radio et presse écrite relayent la ferveur populaire. Les Français sont plus proches les uns des autres qu'on ne le croyait, comme l'affirme un éditorial de Jacques Duquesne dans *La Croix* : « Jamais les Français n'ont été aussi unis que ces années-ci. Bien sûr la société est disloquée, l'individualisme et le corporatisme font des ravages. Mais il n'existe pas de profondes divergences. Beaucoup moins que par le passé[5]. » Rappelant les épisodes douloureux du XXᵉ siècle, l'éditorialiste pense que la France est désormais débarrassée des violences passées : « De grands moments d'émotion collective peuvent exprimer l'émotion d'un groupe ou d'un pays. Le Mondial a provoqué un de ceux-là. »

Le corps social a bien besoin d'un prétexte fédérateur pour sortir d'un quart de siècle de sentiment de déclin : le football fait office de creuset. Il a attiré à lui et soudé comme jamais le peuple tel qu'il est, c'est-à-dire « black, blanc, beur », s'admirant dans le miroir d'une équipe plurielle, modèle de cohabitation et d'intégration. La plupart des observateurs considèrent que cette victoire sportive se produit au bon moment, elle vient cristalliser un long travail souterrain et lui donne soudain une incarnation rayonnante : celle d'une nouvelle identité nationale faite d'intégration réussie[6].

Pas forcément attendues sur ce sujet, trois femmes intervenant à différents titres dans la vie publique analysent le rôle positif du football dans les « retrouvailles nationales ». Françoise Giroud, admiratrice de ballon rond, voit dans la Coupe du monde l'occasion de resserrer le lien national : « C'est un bon nationalisme[7]. » Le culte de l'appartenance ne signifie pas forcément chauvinisme : « L'idée de nation est très importante, elle n'oblige pas les gens à se taper dessus. » Supporter l'équipe de France, c'est supporter la nation : en ce sens, François Giroud accorde une grande importance aux manifestations populaires qui ravivent le sentiment patriotique. Plus surprenant, Blandine Kriegel, philosophe et politologue spécialiste des questions de citoyenneté[8], propose une « philosophie du ballon rond », se lançant, non sans lyrisme, dans une leçon de morale politique s'inspirant de l'équipe de France. Encore plus inattendu, la démographe Michèle Tribalat, directrice de recherche à

---

5. *La Croix*, 16 juillet 1998.
6. Éditorial de Serge July, « Un rêve français », *Libération*, 14 juillet 1998.
7. Article de Véziane de Vezins, *Le Figaro*, 11 juillet 1998.
8. Blandine Kriegel sera nommée en 2002 présidente du Haut Conseil à l'intégration (HCI). Elle venait de publier *Philosophie de la République*, Paris, Plon, 1998.

l'Institut national d'études démographiques (Ined), auteur de plusieurs enquêtes et d'ouvrages sur les populations migrantes, exprime un enthousiasme qui contraste avec la traditionnelle retenue des milieux de la recherche en sciences sociales :

> C'est un moment de grâce absolue où l'identification à la France s'opère de manière positive et sans exclusive. Cette cohésion visible entre des joueurs, pour qui la couleur et l'origine n'ont aucune importance, joue sur le peuple français, créant une osmose avec son équipe bigarrée. On voit des jeunes de toutes origines, le visage peint aux couleurs de la France, crier : « On a gagné ! On est en finale ! »[9].

Selon Michèle Tribalat, le 12 juillet est magique et incarne l'« idéal du creuset français ». La comparaison avec l'équipe d'Allemagne « au teint clair et aux cheveux blonds qui ne compte dans ses rangs aucun jeune d'origine turque » illustre ainsi deux systèmes totalement différents : « D'un côté, une France qui parie sur l'universel de manière visible, avec un code de la nationalité très ouvert. De l'autre, une Allemagne avec une conception très ethnique de la nation où les enfants turcs sont restés turcs. Derrière Zidane et Desailly, l'équipe de France a réalisé plus pour l'intégration que des années de politique volontariste. » La réaction de satisfaction de Michèle Tribalat s'explique mieux lorsqu'on connaît l'importance qu'elle a toujours accordée au sentiment national dans la construction de la cohésion nationale. Elle avait déjà exprimé cette conviction quelques jours plus tôt, face aux drapeaux français brandis et à *La Marseillaise* entonnée dans les rues après la victoire remportée sur la Croatie : « C'est un grand moment d'émotion collective et de cohésion nationale avec une forte identification à une équipe elle-même très soudée et qui joue bien. Cela "renarcissise" au plan psychologique, au sens positif du terme, un peuple qui en a bien besoin[10]. » Michèle Tribalat voit dans le succès des Tricolores une formidable leçon donnée à ceux qui méprisent toute expression du sentiment national, à ceux qu'elle nomme les « pisse-froid » de la nation.

---

9. *Libération*, 13 juillet 1998.
10. *Ibid.*

Le bonheur d'être français : l'opinion conservatrice en première ligne

Plusieurs réactions saluent la victoire comme une manifestation de la patrie immémoriale. La France multiséculaire est de retour : oui, la différence est enrichissante, mais bien au sein d'un socle commun qu'il faut renforcer comme viennent de le faire les footballeurs. Par le détour du ballon rond, le patriotisme fait un étrange retour : sans chauvinisme ou nationalisme haineux, la mobilisation émotionnelle autour des Bleus dépasse toute prévision. Étape après étape, la frontière entre ceux que le football passionne et ceux qui d'ordinaire n'y comprennent rien, le méprisent ou s'en moquent s'estompe. Aux gens du peuple s'ajoutent les élites, et bien des femmes partagent avec les hommes les moments forts du Mondial. Une équipe plurielle qui remet à leur juste place les valeurs crépusculaires du lepénisme, une équipe qui fait corps et qui délaisse les tentations de l'individualisme, du repli passéiste et des crispations. La France se regarde dans le miroir de son équipe nationale. Le Mondial lui donne l'occasion d'exprimer bien autre chose que l'apparence d'une partie de ballon rond sur une pelouse verte : confiance, meilleure image du « soi » collectif, regain des perspectives, un vrai plaisir de vivre ensemble.

Dans ce cadre, l'opinion conservatrice s'exprime sans retenue, avec un ton différent. L'organe de presse qui représente le mieux cette sensibilité, *Le Figaro*, est particulièrement prolixe pendant toute la Coupe du monde. Il insiste sur le parcours du Onze tricolore qui donne naissance à une nouvelle fibre cocardière. Tout le monde vibre : jeunes, vieux, Hexagonaux de souche et pièces rapportées, tout un peuple communie autour d'un mot-slogan, « France ».

Éditorialiste habituellement sans concession en matière d'immigration, Georges Suffert s'avoue « fier » et refuse de bouder son plaisir en retraçant le fil de l'événement :

> Ce qui a envahi tout le monde, c'est la fierté. Comme si, par le miracle d'une poignée de joueurs, le vieux pays redécouvrait qu'il avait une âme et que les prophètes de l'inexorable déclin n'étaient qu'une piétaille de radoteurs. Du coup, les barrages sociaux et ceux des générations ont volé en éclats. On criait sa joie dans les stades

et devant les petits écrans. Des foules déferlaient au cœur des villes pour partager leur enthousiasme. Les télévisions repassaient sans se lasser les images de cette étrange épopée. Comme si la France n'en revenait pas d'avoir jeté aux orties sa tunique ordinaire faite d'humiliation et de lassitude [11].

Pour autant, Georges Suffert veut rester lucide : « Las ! Cette fête passera. La quotidienneté nous attend au coin du bois. » Il faut surtout que la leçon puisse servir à une autre échelle : « La recette du succès d'Aimé Jacquet n'est pas inimitable. Il faut simplement modifier quelques-unes des mentalités françaises. » Autre figure du journal, Alain Peyrefitte, lui aussi traditionnellement peu enclin à soutenir la présence immigrée en France, s'extasie dans son éditorial à la une au lendemain de la victoire : « La France est multiraciale et le restera. » Quelle surprise de voir parler l'ancien ministre du général de Gaulle en ces termes ! Lui qui n'a jamais cessé depuis les années 1980 de dénoncer la dérive multiculturelle de la France. À la lecture de son éditorial, on comprend mieux : « À quoi bon passer tous nos merveilleux champions au fil de leur lignage ? C'est de la France qu'ils nous ont parlé. C'est avec elle qu'ils ont fait chanter dans nos cœurs. C'est une fierté française qu'ils nous ont rendue, qu'ils nous ont offerte en modèle à l'univers [12]. » Ce constat qui met en valeur la « grandeur de la France » conforte sa fibre gaulliste : « L'équipe de France avait une mission secrète qui était de donner une leçon de confiance, d'ambition et d'unité aux Français. » Heureux de voir que les villes et leurs banlieues sensibles ont connu les mêmes palpitations, retenu les mêmes souffles, poussé les mêmes cris, il défend sa vision de l'intégration, éloignée de tout communautarisme : « Sur tous les écrans du monde, le message français est apparu dans ses visages divers : la France est, parmi les nations, une de celles qui ont poussé le plus loin l'idéal d'intégration, parce qu'elle s'est sentie assez forte et assez désirable pour entraîner tous ses nouveaux enfants dans son aventure. » Alain Peyrefitte clarifie davantage sa pensée en précisant que la France peut être « multiraciale » parce qu'elle a toujours refusé d'être « pluriculturelle ou polyethnique », aussi ne faut-il pas se tromper de leçon : « Dans la nation "France", on peut venir de partout si l'on va ensemble quelque part. Avec plusieurs races, plusieurs ethnies, nous avons jusqu'à présent fait un seul peuple, une seule culture. »

---

11. *Le Figaro*, 13 juillet, 1998.
12. *Ibid.*

Jean-François Deniau veut croire que le modèle français d'intégration, apanage de la grandeur de la France, fonctionne. Plutôt que dire « non à l'exclusion », il préfère dire « oui à l'inclusion » pour ceux qui le veulent vraiment. La France doit pour cela retrouver un rang qu'elle a perdu : « Cela suppose, bien sûr, que nous acceptions de redevenir un modèle pour les autres comme pour nous-mêmes[13]. » Heureux de retrouver les drapeaux français, il compare Aimé Jacquet au maréchal Joffre. Comme lui, l'entraîneur tricolore n'a pas perdu « sa » bataille de la Marne : « La victoire de la France est de ce que l'on appelait autrefois sans honte particulière "la Plus Grande France". Il est hautement symbolique que tant de Français d'origines plus ou moins lointaines y aient contribué. » L'homme politique et écrivain établit un parallèle avec le football : « Que serions-nous sans les étrangers d'origine qui chantent *La Marseillaise* ? Merci les Dom-Tom, merci l'Afrique et merci, deux fois merci à la Kabylie. »

À son tour, Philippe Tesson souligne avec satisfaction le retour de la patrie :

> Un vent a soufflé, il a soulevé le pays dans une liesse spontanée et unanime, et dans une fierté sans insolence. C'est assez rare pour qu'on y ait vu l'expression d'un sentiment national. Il y a bien longtemps qu'on n'avait pas entendu une référence positive à ce concept. On a beau dire qu'il ne s'agit que de sport, mais des *Marseillaise* ont éclaté, des drapeaux ont surgi d'on ne sait où et le bonheur ne se défendait pas d'être français, au contraire, il revendiquait sa gloire de l'être[14].

C'est donc le signe que cette identité garde un sens profond pour ceux qui la partagent. Quel sens ? Son sens originel, selon Philippe Tesson : d'une part, l'appartenance à une « communauté d'idées, d'intérêts, d'affections, de souvenirs et d'espérances », ainsi que Numa Fustel de Coulanges[15] définissait la nation ; d'autre part, l'orgueil de cette appartenance quand vient la victoire. L'éditorialiste convoque ainsi le

---

13. *Le Figaro*, 14 juillet 1998.
14. *Le Figaro*, 17 juillet 1998.
15. Numa Fustel de Coulanges, *Histoire des institutions de la France*, Paris, Hachette, 1874.

fameux propos d'Ernest Renan [16] de 1882 selon lequel « l'existence d'une nation est un plébiscite de chaque jour », pour défendre la relance de la tradition nationale d'universalisme et d'humanisme :

> Cette perspective implique que notre pays règle d'abord le problème que lui posent ses immigrés. Est-il tolérable, en regard du droit, de l'honneur et de la générosité, que des hommes et des femmes, pour certains accueillis ou acceptés sur ce sol depuis une génération et qui respectent les lois et l'histoire nationales, y vivent quasiment en proscrits ? Quelle atteinte l'intégration de minorités consentantes et dignes de cette assimilation porterait-elle à la nation française, quand on sait de quelles contributions multiples celle-ci s'est enrichie depuis deux siècles ? Il semble que les drapeaux tricolores et les *Marseillaise* de ces jours derniers aient donné un sens à cette question, voire une réponse [17].

Le Figaro n'est qu'un exemple significatif. Dans *Le Point*, François Dufay retient union interculturelle et émotion autour du ballon rond : « Un Beur, fils d'immigré algérien et idole des cités de banlieue, qui embrasse avec jubilation le maillot tricolore devant deux milliards de téléspectateurs [18]... » Le journaliste s'extasie devant la transe collective inattendue :

> Qui avait vu venir ces forêts de drapeaux tricolores, ces visages noirs ou bruns peints de bleu, blanc, rouge, cette fierté d'un bout à l'autre du pays, ce patriotisme sans honte et sans haine ? [...] Voilà qu'une France jeune, multicolore, qui n'a pas appris l'hymne national à l'école et n'a sucé le lait d'aucun « Malet et Isaac » entonne de vibrantes *Marseillaise*, comme on dirait du temps de Déroulède, et communie dans l'amour du maillot tricolore, devenu le dernier vêtement à la mode.

Max Gallo, qui vient de publier le deuxième tome de sa biographie du général de Gaulle, souligne avec satisfaction le succès de

---

16. Ernest Renan, « Qu'est-ce qu'une nation ? », conférence prononcée à la Sorbonne le 11 mars 1882.
17. *Le Figaro*, 17 juillet 1998.
18. *Le Point*, 18 juillet 1998.

La Marseillaise, chantée non seulement par les joueurs, mais aussi par le public : « Nous avons frissonné, étonnés, parce que ces voix n'étaient pas celles de la violence, de la revanche, de l'agressivité, de la xéno-phobie, mais celles de l'enthousiasme, de la joie, de la fierté. [...] Cette France qui exultait n'était pas aigrie, vieillissante, rancunière, raciste, recroquevillée sur ses peurs, fermée, soupçonneuse, mais accueillante, ouverte et cependant patriote. » Pour l'historien écrivain, le Mondial a fait souffler un vent de patriotisme républicain : il s'agit, bien plus que d'une performance exceptionnelle du football français, d'une date dans l'histoire de la sensibilité nationale.

> Car souvenons-nous de cet avant-Mondial qui semble déjà si loin. Certains prétendaient alors que la nation était une forme dépassée. [...] Comment pouvait-on chanter « Aux armes citoyens ! » à l'heure où se construit l'Europe ? Les mêmes répé-taient que le patriotisme est une maladie qui permet au virus du racisme de se développer ; qu'en somme, un patriote est au mieux un radoteur, un homme d'un autre temps et, au pis, un xéno-phobe dangereux. « Nation », un mot suspect qui, accolé au mot « front », devient « national ».

La Coupe du monde a ainsi révélé que l'attachement à la patrie n'est pas vain, quoi qu'en disent les intellectuels depuis plusieurs décen-nies : « Certes, il ne s'agit que de football, diront certains. Mais la *ola* patriotique qui a soulevé les stades et fait dresser ces dizaines de milliers de jeunes Français ou fait vibrer des millions de téléspectateurs va laisser dans nos mémoires un souvenir intense, plein d'avenir. » L'écrivain tranche : désormais, on ne pourra plus sous-entendre que « patriote » signifie « raciste ». Par conséquent, pour combattre la xénophobie, il ne faut pas nier la nation, mais opposer à sa caricature les visages divers de notre équipe nationale et de tous ceux qui l'ont soutenue : « D'ailleurs, le silence des xénophobes durant ce Mondial était assourdissant parce qu'on chantait *La Marseillaise* selon le vrai tempo : la fraternité. »

En somme, le Mondial a démontré que vit toujours dans la profon-deur de la nation, dans sa jeunesse, une « certaine idée de la France [19] ». Pour l'opinion conservatrice, il ne s'agit pas de cautionner le discours jugé « bien-pensant à la SOS-Racisme » sur les « potes » et la mosaïque

---

19. *Paris Match*, 23 juillet 1998.

française. Il est bien question de l'efficience du modèle de société « jacobin » : droit du sol, primat absolu de ce qui rassemble sur ce qui sépare, renvoi des particularismes à la sphère privée, définition de la nation comme adhésion à un destin commun, vocation à l'universel.

Prudence et scepticisme : la Coupe du monde, marché aux illusions ?

Dans l'élan unanimiste, plusieurs voix prônent la prudence et redoutent par expérience que le caractère éphémère de l'événement ne masque des lendemains qui déchantent. D'autres, hostiles à une mise en scène qu'ils trouvent déplacée, artificielle et dangereuse, pensent que cet épisode n'aura aucun effet sur la société française.

L'historien Henri Amouroux entend revaloriser le sentiment national tout en repoussant l'éloge du métissage :

> Si le métissage, mis en vedette, était « la » recette, l'équipe des Pays-Bas (métissée) aurait écrasé l'équipe croate (non métissée)... Jacquet n'a pas fait une équipe métissée afin de recueillir les applaudissements de tous ceux qui, dans l'instant, ont, politique-ment, récupéré sa victoire, mais simplement parce que, choisis-sant les meilleurs joueurs français, ces meilleurs étaient de toutes les couleurs, de toutes les origines. Son drapeau n'est pas blanc, black, beur, il est bleu, blanc, rouge [20].

Tout aussi circonspect, Alain-Gérard Slama note que la vraie révé-lation du Mondial a certes été la persistance du sentiment national dans les profondeurs d'un pays qui s'ennuie, mais il met en garde contre tout angélisme sur l'« utopie de la fraternisation mondiale, festive et multi-culturelle ». Selon lui, les victoires sportives n'ont jamais permis de résoudre des problèmes sociaux ou raciaux : « Les causes sociologiques des affrontements intercommunautaires ne disparaissent pas sur un ter-rain de sport, dans certains cas, elles peuvent même s'en trouver forti-fiées [21]. » Le chroniqueur du *Figaro* se méfie du trop-plein d'optimisme et des passions pacifiques soulevés par l'exploit d'une équipe censée

---

20. *Le Figaro magazine*, 18 juillet 1998.
21. *Le Figaro*, 14 juillet 1998.

représenter le désir de fusion d'une France métissée. Dans la même perspective, Alain Griotteray veut tirer des « leçons de football » en nuançant la portée de l'événement :

> La liesse populaire, persistance du sentiment national dans un pays qui meurt d'ennui, était rafraîchissante. Ceux qui auraient préféré un million de chômeurs ou mille milliards de dettes en moins oublient que l'économie et le sport n'ont rien à voir. Ces deux domaines ne se soustraient pas. Une victoire sportive ne peut qu'être un plus. [...] Les analystes paraissent toutefois à côté de la portée réelle de l'événement. Qui reste purement sportif. Oui, l'équipe de France doit être montrée en exemple. Non, les vingt-deux joueurs ne sont en rien représentatifs du reste de la population française. Certains jubilent sur le modèle d'intégration à la française. Ils transforment une victoire « bleu, blanc, rouge » en une victoire « blanc, black, beur ». Et prennent leurs désirs utopistes pour des réalités.

Alain Griotteray considère que la victoire de cette équipe multicolore ne démontre en rien que l'intégration est en cours pour le reste des immigrés. Parce que ces champions ont des capacités exceptionnelles, ils sont dans une situation hors normes : « Ces joueurs vont tous gagner plus de quatre millions de francs, quel rapport avec les autres Blacks ou Beurs ? » Pourtant amateur de football, Alain Finkielkraut souligne, également peu convaincu, que l'intégration par le sport ne remplacera jamais l'intégration par l'école, la seule qui vaille. Dans *Le Monde*, il évoque la « vanité française » qui fait dire que l'équipe allemande a été punie par une défaite cuisante de sa phobie à l'Autre. Cette insistance sur l'origine nous éloigne selon lui de l'idéal républicain et nous rapproche plus de l'Amérique multiculturelle, « où le délabrement des ghettos noirs coexiste avec la fortune immense et la fabuleuse notoriété de Carl Lewis ou Michael Jordan[22] ». Le philosophe fustige le concept de métissage porté par la Coupe du monde :

> En guise de projet, la France n'a rien d'autre à offrir que le spectacle de sa composition : la formule « blanc, black, beur » remplace l'ancien modèle d'intégration, la diversité tient lieu de

_____

22. *Le Monde*, 21 juillet 1998.

culture. [...] En pontifiant sur nos vertus à l'occasion de ce qui aurait dû rester une grande fête sportive, nous n'avons pas désigné au monde la marche à suivre pour être à la fois plus humain et plus performant, nous avons aggravé notre propre état de confusion.

Plus à gauche, d'autres voix expriment des doutes. Benjamin Stora critique le cantonnement des immigrés aux exploits sportifs et à la musique : applaudis dans les stades ou en concert, les Français d'origine étrangère restent absents de la vie politique et des médias [23]. Le sociologue Zaki Laïdi prévient : « Ce n'est pas parce que les Beurs et les Blacks chanteront *La Marseillaise* qu'ils cesseront de se sentir exclus. » Denis Sieffert, dans *Politis*, salue l'« ivresse » d'une fête belle et sympathique, tout en restant conscient de certaines confusions : « Il y a belle lurette que certains supporters de football ont appris à s'accommoder de toutes les contradictions ; applaudissant Thuram, Zidane et Desailly le dimanche au stade et redevenant parfaitement racistes le lundi dans la rue [24]. » À l'université d'été des Verts, une voix dissonante, celle de Stéphane Pocrain, jeune Black venu des quartiers de Massy, dans l'Essonne, et militant écologiste depuis un an, s'exprime avec virulence : « Marre de Zidane! » Interpellant Claude Bartolone, ministre de la Ville venu participer aux travaux des Verts : « Monsieur le ministre des Sauvageons, puisque c'est comme ça qu'on nous appelle au gouvernement, j'en ai marre qu'on me parle de Thuram et de Zidane. On en a marre de l'intégration par le sport », Stéphane Pocrain évoque les nécessités d'une avancée plutôt dans le domaine de la citoyenneté [25].

Peu entendus, le Cobof (Comité pour l'organisation du boycott de la Coupe du monde de football en France) ou l'association La Coupe est pleine ont tenté en vain de résister à la vague d'hystérie prévisible durant le Mondial. Jean-Marie Brohm et Marc Perelman, universitaires engagés dans le « courant antisportif », stigmatisent le football spectacle, porteur d'une intensité émotionnelle, d'un crescendo irrésistible. Selon eux, la fascination envers le spectacle sportif s'exerce d'autant plus fortement que l'opinion y est préparée grâce à la télévision, redoutable

---

23. *Libération*, 10 juillet 1998.
24. *Politis*, 16 juillet 1998.
25. *Libération*, 29 août 1998.

instrument d'imprégnation[26]. D'après Marc Perelman, le spectacle de la Coupe du monde est consternant : « Racistes et antiracistes ont été au coude-à-coude, fusionnant dans la grande liturgie footballistique émotionnelle la plus abjecte. » La victoire des Bleus est analysée comme une « footballisation » de la société et non comme une lutte antiraciste grâce au football. Si la « footballmania » envahit la structure même de l'État, les idées d'universalité et d'égalité sont loin d'être servies par ce sport qui ne joue aucun rôle pour endiguer le racisme « qui dévore la société française ».

Pour qualifier les événements du 12 juillet, Patrick Farbiaz, fondateur de l'association Les Pieds dans le PAF, et Lucien Sfez parlent de « tautisme », contraction d'« autisme » et de « tautologie », maladie de la confusion médiatique qui mêle expression et représentation. Le tautisme est un espace d'autoenfermement de quatre semaines où les seuls intérêts sont ceux d'une satisfaction ludique, sans cesse répétée en boucle. Les interprétations fantasmatiques sur le déclin du racisme, la disparition du Front national, la fin de la crise ou les capacités d'intégration de la France ne sont que des expressions tautologiques si elles ne sont pas suivies par des faits concrets[27].

Jean-François Revel, de l'Académie française, insiste sur la richesse émotionnelle et visuelle qu'offre le football. Réfléchissant au sens de la fête après la victoire sur l'Italie, il analyse le rapprochement des peuples évoqué à cette occasion comme un « cliché éculé ». Une convivialité qui exige pour s'épanouir la mobilisation de dizaines de milliers de policiers, la fermeture des cafés, l'ouverture de centres pour dessaouler. Selon lui, la fête est plus souvent celle des casseurs et des « brutes avinées » que celle des amateurs éclairés qui cultivent l'art footballistique et le rapprochement des peuples[28]. En ce sens, 1998 annonce les manifestations accompagnant les exploits des Bleus lors de la Coupe du monde 2006, régulièrement émaillées d'actes de vandalisme et d'incivilités[29].

---

26. Marc Perelman, *Les Intellectuels et le football : montée de tous les maux et recul de la pensée*, Paris, La Passion, 2000 ; Jean-Marie Brohm et Marc Perelman, *Le Football, une peste émotionnelle*, Paris, La Passion, 1998.
27. *Libération*, 24 juillet 1998.
28. *Paris Match*, 16 juillet 1998.
29. Voir « La fête est moins sereine qu'en 1998 », *Le Monde*, 9-10 juillet 2006 ; « La France n'entonne plus le refrain "black, blanc, beur" », *Le Figaro*, 9 juillet 2006.

8. DES MILIEUX POLITIQUES ENTHOUSIASTES

Ignorant toute approche critique, l'ensemble de la classe politique, dans un unanimisme de rigueur, s'est identifié à l'équipe de France. Tout commence lors du quart de finale contre l'Italie et surtout lors de la demi-finale contre la Croatie. À l'issue du match, le président de la République, Jacques Chirac, et son Premier ministre, Lionel Jospin, se rendent tour à tour dans les vestiaires pour féliciter les Bleus et les encourager pour la finale. Tous deux repartent avec un maillot en souvenir, Jacques Chirac héritant du numéro 23 qu'il porte sur le dos tout au long de la finale au Stade de France. La représentation symbolique du chef de l'État comme « douzième homme » de l'équipe tricolore illustre la volonté des hommes politiques d'exploiter les bonnes prestations françaises à des fins électoralistes. Le chroniqueur de *L'Express* Alain Schifres note l'omniprésence du football dans la vie politique, qui incite Lionel Jospin à ne plus se présenter comme le croisement de Jean Jaurès et de Pierre Mendès France, mais plutôt comme celui de Zinédine Zidane et d'Aimé Jacquet[1].

Dans *Paris Match*, Jacques Chirac apporte la traduction présidentielle du succès français, cherchant à puiser dans le football les éléments susceptibles de redresser la société :

> On a beaucoup parlé d'intégration, du visage moderne de notre pays offert par cette équipe d'exception. On a eu raison. Bien sûr, tous les problèmes n'ont pas disparu soudainement et

---

1. *L'Express*, 9 juillet 1998.

l'intégration est toujours à réinventer. Mais je voudrais dire à tous ces jeunes qui se reconnaissent dans cette équipe tricolore et multicolore que chacun, à sa place, est dépositaire d'un peu de la fierté de la France. Que chacun a un rôle à jouer, quelque chose à donner. Il est normal que l'on soit attaché à son quartier, à sa cité. Mais c'est en jouant « France » que l'on va loin, parfois au-delà de soi-même. [...] Pendant tout un mois, l'indifférence, l'individualisme et la solitude ont cédé du terrain. À leur place, il y a eu échanges, chaleur, communion spontanée, par-delà les frontières et les barrières, autour d'une ambition partagée. C'est la principale leçon de la Coupe du monde. Une leçon de cœur, de courage et de fraternité mêlés. Une France qui gagne ensemble. Au-delà de la nostalgie des lendemains de fête, je crois et j'espère que nous allons garder au cœur cet élan et cette fraternité[2].

À l'image du président de la République, toutes les personnalités politiques, y compris les réfractaires, se découvrent une passion pour le Onze de France. En outre, la victoire n'est pas sans conséquences, provoquant une surprenante prise de position de Charles Pasqua et une mise en difficulté provisoire du Front national.

La vie politique au rythme du Mondial

Le président de la République et son Premier ministre profitent des victoires françaises pour relancer leur cote de popularité plutôt déclinante lors du premier semestre 1998. Une enquête d'opinion de l'institut Canal-Ipsos confirme l'« effet Mondial » : déjà quinze points de plus pour Jacques Chirac, dix pour Lionel Jospin, au lendemain de France-Italie[3]. « Le Mondial a aidé Jacques Chirac à retrouver sa popularité[4] », « Chirac et Jospin surfent sur le succès du Mondial[5] » : ces titres du *Monde* et du *Point* mettent en lumière les retombées positives de la victoire sur les hommes politiques au pouvoir.

---

2. *Paris Match*, 23 juillet 1998.
3. Enquête réalisée les 3 et 4 juillet 1998 sur un échantillon de 961 personnes selon la méthode des quotas, *Le Point*, 11 juillet 1998.
4. *Le Monde*, 28 juillet 1998.
5. *Le Point*, 11 juillet 1998.

Jacques Chirac fait de la Coupe du monde un succès personnel, cherchant à s'inspirer de l'engouement suscité par Aimé Jacquet et son équipe, à tel point que *Libération* titre : « Jacques Zidane » ou que Patrick Poivre d'Arvor le présente comme l'« entraîneur de la France » lors du journal télévisé de 20 heures du 14 juillet [6]. L'enthousiasme exprimé par Jacques Chirac lui donne l'image d'un « président-supporter [7] ». Multipliant les interventions médiatiques, se montrant au plus près de l'équipe et des joueurs, embrassant le crâne de Fabien Barthez, le chef de l'État a profité de l'événement comme d'une aubaine. Sa marionnette aux « Guignols de l'info », sur Canal Plus, ne parle plus que de « mon effet Mondial que j'aime » durant l'été et à la rentrée suivante.

La traditionnelle garden-party du 14 Juillet à l'Élysée apparaît comme le moment fort du lien entre la classe politique et l'équipe de France. Cette année, le football éclipse quelque peu la parade militaire. Tout sourire, Jacques Chirac accueille les champions du monde sur le perron de l'Élysée en saluant une équipe « à la fois tricolore et multicolore ». Six mille personnes sont conviées : un record pour quelques dizaines de minutes de « pure folie républicaine ». Du jamais-vu dans ce haut lieu, « plus habitué aux costumes-cravates qu'aux trainings fluo ». Afin de rendre la cérémonie plus populaire et détendue, des jeunes sont invités en grand nombre pour acclamer leurs héros : drôle d'endroit pour ce type d'ambiance, les champions du monde étant surnommés par *L'Équipe* « rois de l'Élysée [8] ». Il a plané sur cette garden-party inédite un incontestable sentiment de fierté partagée [9]. Libérée de tout protocole, la France se range derrière l'un des slogans les plus entendus dans les stades : « Tous ensemble » [10]. On ne parle plus que de football, telle est la contrainte pour les ministres, députés et ambassadeurs présents en grand nombre. Martine Aubry, Dominique Strauss-Kahn ou Robert Hue racontent « leurs » matchs, Philippe Séguin touche la coupe, très ému. La fanfare de la garde républicaine entonne la chanson fétiche des joueurs, *I will survive*. Il s'agit sans doute du 14 Juillet le plus sympathique de la Ve République selon *La Tribune* : « Pour une fois que les Français peuvent voir et complimenter tout à la fois leur

---

6. *Libération* et *Le Figaro*, 15 juillet 1998.
7. *Le Point*, 18 juillet 1998.
8. *L'Équipe*, 15 juillet 1998.
9. *La Croix*, 16 juillet 1998.
10. *Le Monde*, 16 juillet 1998.

armée, leurs footballeurs, leur gouvernement et leur président, heureux de gérer une République aussi ensoleillée, pourquoi bouder notre plaisir[11] ? » Et toujours l'état de grâce : uniformes rutilants, chéchias traditionnelles, capelines extravagantes ont fraternisé sur l'air de *We are the champions*, vieux refrain du groupe Queen, qui redonne, le temps d'un bonheur collectif, l'image d'une France revigorée.

Dans son traditionnel entretien télévisé placé lui aussi sous le signe du Mondial[12], le chef de l'État s'emploie à tirer parti du désir d'union et de cohésion manifesté par les Français. Puis il improvise une rencontre avec les supporters regroupés dans le jardin en compagnie d'Aimé Jacquet. Ces derniers, déchaînés, scandent : « Zidane président » dans la bonne humeur générale, sans que personne s'en formalise. À l'issue des discours de Jacques Chirac et du capitaine Didier Deschamps, l'ambiance est survoltée, la cohue indescriptible : impossible pour le président et les joueurs de s'avancer dans le jardin.

En conseil des ministres, une fois la passion retombée, le chef de l'État entend tirer les leçons de la Coupe du monde : « La France qui vient de gagner est une France rassemblée autour d'échanges, de chaleur, de communion spontanés par-delà les frontières et les barrières. On a beaucoup parlé d'intégration, du visage moderne de notre pays offert par cette équipe d'exception. On a eu raison[13]. »

L'« effet Mondial » se répercute sur la plupart des élus de la droite conservatrice ou du centre droit, RPR ou UDF, qui adoptent alors une attitude différente sur les questions liées à l'immigration. Vanessa Schneider le constate dans *Libération* : « La droite découvre la couleur. Souvent prisonnière de schémas en noir et blanc, faisant parfois ses choux gras de ses fantasmes racistes, elle est restée rivée, dimanche, devant son écran de télévision. » Le député UDF des Alpes-Maritimes, Rudy Salles, s'étonne de l'enthousiasme des enfants d'immigrés : « J'ai ressenti ça d'une manière extrêmement positive. C'est un signe qui doit en amener d'autres. » Thierry Mariani, alors maire RPR de Valréas, dans le Vaucluse, parmi les plus sévères dans le débat sur l'immigration à l'Assemblée nationale, affirme sans détour : « La majorité de ceux qui tournaient comme des fous autour de la mairie avec des drapeaux

---

11. *La Tribune*, 15 juillet 1998.
12. Entretien disponible sur le site de l'Inathèque : www.ina.fr
13. *Libération*, 16 juillet 1998.

français étaient des Beurs et des Blacks. C'était à la fois surprenant et agréable[14]. » La droite ne peut plus désormais se permettre de caricaturer l'immigration comme elle le faisait depuis les années 1980 : sa position se doit d'être plus nuancée et plus ouverte sur un sujet où les mentalités semblent en train d'évoluer.

À gauche, Lionel Jospin, en chef de file du gouvernement, a pris les devants, avant même les exploits des Bleus, dans *La Dépêche du Midi* : « Quel meilleur exemple de notre unité et de notre diversité que cette magnifique équipe[15] ? » Puis Daniel Vaillant, ministre des Relations avec le Parlement, dans un entretien au *Journal du dimanche*, s'autorise des métaphores footballistiques : « Jospin est numéro 10, c'est un peu Zidane ; il joue dans l'intérêt de son équipe, de sa majorité et de la France[16]. » Dans une rhétorique semblable, *La Tribune* évoque ainsi « Lionel Zidane[17] », celui qui veut tirer la France d'un mauvais pas. Le Premier ministre en personne fait référence au football pour expliquer sa manière de gouverner, le 5 juillet, au Club de la presse d'Europe 1 : « Je suis un chef d'équipe, un entraîneur joueur, un mélange de Jacquet et de Zidane[18]. » Le même jour, Jean-Jack Queyranne, secrétaire d'État à l'Outre-Mer, envoie un télégramme à Lilian Thuram en précisant : « Vos exploits honorent l'outre-mer[19]. »

Daniel Marcovitch, député socialiste du XIXe arrondissement de Paris, affirme que « le bleu, banc, rouge colorié sur les peaux noires, jaunes ou bistres, c'est aussi la France », tandis que Claude Bartolone, ministre de la Ville, émet un vœu : « Que cette équipe black, blanc, beur donne envie à bon nombre de nos concitoyens de chasser leurs idées racistes et de montrer que, lorsqu'on a la volonté, on peut gagner[20] ! » Quant à la ministre de la Jeunesse et des Sports, membre du Parti communiste, Marie-George Buffet, elle juge exemplaire le comportement des Bleus : « Cette équipe montre qu'au-delà des différences on peut construire ensemble[21]. » Dans un entretien au *Parisien*, elle

---

14. *Libération*, 18 juillet 1998.
15. *La Dépêche du Midi*, 9 juin 1998.
16. *Le Journal du dimanche*, 5 juillet 1998.
17. *La Tribune*, 6 juillet 1998.
18. *Libération*, 6 juillet 1998 ; *Le Monde*, 7 juillet 1998.
19. *Le Parisien*, 10 juillet 1998.
20. *Libération*, 21 juillet 1998.
21. *Libération*, 10 juillet 1998.

considère que l'un des principaux enseignements de cette Coupe du monde est la diversité « qui fait la force de la France[22] ».

Même une partie de l'extrême gauche participe à la liesse collective. Si Lutte ouvrière et Arlette Laguiller ne veulent voir que les dérives capitalistes du football, Christian Piquet, membre de la Ligue communiste révolutionnaire, analyse au contraire la victoire de l'équipe de France comme un « acte de résistance sourde à la mondialisation des marchés financiers ». Voir les gens contents, heureux, même le temps d'un match, est une donnée à ne pas négliger : à l'instar de cette équipe de France colorée, c'est le peuple « black, blanc, beur » qui s'est pleinement manifesté, cela suffit pour être remarquable[23].

Régulariser tous les sans-papiers : la surprise de Charles Pasqua

La conséquence politique la plus surprenante de la Coupe du monde provient de la proposition faite par l'ancien ministre de l'Intérieur, Charles Pasqua, au cours d'un entretien accordé au *Monde*[24]. Lui qui avait été à deux reprises un ministre très sévère à l'égard de la politique d'immigration, lors des périodes de cohabitation entre 1986 et 1988, puis entre 1993 et 1995, refusant tout laxisme dans l'élaboration des lois restrictives, se déclare soudainement favorable à la régularisation de tous les étrangers en situation irrégulière.

Sa position, radicalement nouvelle pour l'un des « durs » du RPR, prend les analystes politiques autant que l'opinion française à contre-pied. La volte-face est motivée d'après lui par l'onde de choc positive en réaction à la victoire des Bleus : « Le Mondial a montré aux yeux des Français que l'intégration était réussie à 90 %. » Selon Charles Pasqua, l'enthousiasme renforce le sentiment que la France existe par elle-même : « Dans ces moments-là, quand la France est forte, elle peut être généreuse, elle doit faire un geste. Le général de Gaulle l'aurait certainement fait[25]. »

Stupéfaits, les mouvements de sans-papiers et les groupements antiracistes ne peuvent qu'applaudir à ces propos. La Cimade, par les voix de

---

22. *Le Parisien*, 10 juillet 1998.
23. *Rouge*, 16 juillet 1998.
24. *Le Monde*, 17 juillet 1998.
25. *Le Monde*, 17 et 20 juillet 1998.

Laurent Giovannoni et d'Emmanuel Terray (grévistes de la faim avec les sans-papiers depuis trente jours), le Groupe d'information et de soutien des travailleurs immigrés (Gisti), représenté par Jean-Pierre Alaux, le Mouvement contre le racisme et pour l'amitié entre les peuples (Mrap), SOS-Racisme, l'association Droits Devant !! et la Ligue communiste révolutionnaire d'Alain Krivine se félicitent du ralliement de Charles Pasqua à une position qui leur est commune depuis longtemps[26]. Patrick Braouezec salue cette proposition qui arrive « certes bien tard », mais qu'il ne faut surtout pas prendre à la légère, de la part de « quelqu'un qui prend conscience et qui valide ce que nous, communistes, disons depuis plusieurs années[27] ».

Si pour le gouvernement socialiste, et tout particulièrement pour le ministre de l'Intérieur, Jean-Pierre Chevènement, embarrassé, « Pasqua s'amuse », la déclaration du numéro deux du RPR suscite un tollé à droite. Le président Chirac prend cette attitude comme une offense personnelle venue de son propre camp et se livre à une attaque contre l'ancien ministre avec lequel les relations se sont refroidies depuis plusieurs années. Il envisage même de faire exclure Charles Pasqua des instances du RPR, avec le soutien de Jean-Louis Debré, président du groupe RPR à l'Assemblée. Le seul soutien de l'ancien ministre est Philippe Séguin, président du RPR, plus clément, considérant cette proposition comme une évidence qui relève du bon sens[28].

L'opinion publique réagit plutôt bien aux propositions de Charles Pasqua : dans un sondage de l'Ifop, 50 % des Français se déclarent favorables à la régularisation de tous les sans-papiers qui en font la demande, comme l'a réclamé Charles Pasqua[29].

Le Front national ébranlé

La vague d'enthousiasme provoquée par l'issue du Mondial place le Front national en situation délicate. Face au succès de la sélection, l'extrême droite doit se montrer moins critique. Avec l'expression d'un sentiment

---

26. *Libération*, 17 juillet 1998.
27. *L'Humanité*, 27 juillet 1998.
28. *Le Point*, 25 juillet 1998.
29. Sondage réalisé le 17 juillet 1998 auprès de 948 personnes par téléphone, *Le Journal du dimanche*, 19 juillet 1998.

national simple et joyeux, le parti frontiste se trouve concurrencé sur son propre terrain, pour la plus grande joie des autres formations politiques.

Dans un éditorial de *Réforme*, Pierre Merlet estime que Jean-Marie Le Pen est « le plus grand perdant du Mondial [30] ». Pour *Le Parisien*, il s'agit d'un « sacré coup de pied à Le Pen [31] », tandis qu'Aimé Jacquet se déclare, dans un entretien au *Monde*, « très content et très fier » d'avoir entendu dire que les Bleus, par leur victoire, contribuent au combat anti-Le Pen. *L'Express* parie sur un déclin du Front national, ébranlé par le Mondial et entré dans une nouvelle ère politique, n'ayant plus le monopole du peuple [32].

Le 17 juillet, au cours de l'université d'été du Front national de la jeunesse à Neuvy-sur-Barangeon, dans le Cher, Jean-Marie Le Pen a bien essayé de minimiser l'impact de la Coupe du monde. Face à ses jeunes militants, il refuse de voir dans cette victoire une mauvaise affaire pour son parti « qui continuera son combat contre la philosophie du métissage systématique et politicien ». Fustigeant la « France multicolore », accusant l'attitude de Jacques Chirac et de Charles Pasqua, deux victimes, à ses yeux, de l'« effet Mondial », il considère la victoire de l'équipe de France comme un « épiphénomène, même si cela a été un moment sympathique ».

À Toulon, lors d'une autre université d'été de son parti, Jean-Marie Le Pen aborde à nouveau la victoire des Bleus, affirmant qu'il ne s'agit pas d'une victoire contre le Front national. Au contraire, ce succès a conforté selon lui la permanence du sentiment patriotique fondamental et l'engouement pour les valeurs nationales :

> Les drapeaux tricolores et les *Marseillaise* chantées à pleins poumons nous ont ravis. Comme d'ailleurs nous a fait plaisir la victoire de l'équipe de France, même si nous n'accordons à cet événement que l'importance relative qu'il mérite. Et je voudrais dire à ceux qui prétendaient que la victoire de l'équipe de France a été une victoire du métissage, que l'équipe de France n'était pas une équipe métissée. L'équipe métissée, c'est le Brésil.

Dans la presse d'extrême droite, lors des premières rencontres, évoquer la compétition est un moyen de critiquer toute idée de mélange

---

30. *Réforme*, 23 juillet 1998.
31. *Le Parisien*, 18-19 juillet 1998.
32. *L'Express*, 17 décembre 1998.

interethnique, comme le fait François Brigneau dans *National Hebdo* : « Ne nous égarons pas. Que cela plaise ou non, ce championnat se déroule entre nations. C'est la fête de la Nation. La préférence nationale se pratique sur le terrain comme dans les tribunes, parfois avec une certaine vigueur. Ce sera une nation qui remportera le trophée et le gardera chez elle pendant quatre ans [...]. Alors pourquoi en faire je ne sais quelle glorification du métissage universel[33] ? » L'extrême droite tient d'ailleurs à se distinguer des hooligans impliqués dans divers incidents comme ceux qui ont émaillé la rencontre Tunisie-Angleterre à Marseille, pour mieux dénoncer des « bandes ethniques » coupables de provocation vis-à-vis des supporters anglais : « On a parlé à peine des bandes de Beurs qui ont ensanglanté Marseille[34]. » *Présent* souhaite « expulser les étrangers, mais sans se limiter aux Anglais[35]... » en retournant le dispositif anti-hooligans contre les « voyous des banlieues ethniques ».

Le Front national félicite tout de même Zidane. Bruno Mégret, délégué général du Parti, déclare que l'événement est « l'occasion d'un extraordinaire renouveau du patriotisme et du nationalisme au sein du pays tout entier ». Le Mondial, c'est la reconnaissance du fait national, de la capacité de mobilisation du sentiment français sur un espoir de victoire[36]. Dans un communiqué, Jean-Marie Le Pen complimente « toute l'équipe de France » et « le principal artisan du succès final, Zidane, enfant de l'Algérie française[37] ». Ainsi, lors de la traditionnelle fête du Front national dans les Bouches-du-Rhône, à Saint-Martin-de-Crau, son chef de file s'exclame : « Qu'on ait cru devoir apprendre *La Marseillaise* aux joueurs de l'équipe de France prouve une certaine lepénisation des esprits. Voir les spectateurs entonner l'hymne national, voir des jeunes gens et des jeunes filles maquillés aux couleurs nationales défiler dans les rues avec des drapeaux, c'est la victoire de l'équipe de France, mais je la revendique aussi comme celle du Front national qui en avait dessiné le cadre. » Selon lui, « l'affrontement médiatisé des équipes nationales a un certain parfum d'affrontement national. Qui pourrait plus que nous s'en féliciter[38] ? » Jean-Marie Le Pen ajoute : « Le

---

33. *National Hebdo*, 11 juillet 1998.
34. *National Hebdo*, 18 juin 1998.
35. *Présent*, 17 juin 1998.
36. *Le Figaro*, 20 juillet 1998.
37. *Le Figaro*, 14 juillet 1998, et *Politis*, 16 juillet 1998.
38. *Libération*, 19 juillet 1998.

Front national a toujours reconnu que les citoyens français peuvent être de races et de religions différentes pourvu qu'ils aient en commun l'amour de la patrie et la volonté de la servir. » Dans un entretien au *Figaro*, il réitère sa position en jugeant « démagogique et puéril » le comportement du président de la République et en ironisant sur la confusion entre gaullisme et « goal-isme » : se présenter comme un supporter de l'équipe de France et non comme le président est une faute grotesque.

Au total, la performance des joueurs est reconnue même par les sympathisants du Front national. Plus surprenant, la cote de sympathie de Zinédine Zidane, de Lilian Thuram ou d'Emmanuel Petit est plus forte que la moyenne chez les proches du Front national. Pour 88 % d'entre eux, cette compétition a contribué à développer un climat de bonne entente entre les Français, pour 70 % à accroître la confiance des Français en leur avenir, et pour 57 % à renforcer leur patriotisme et leur attachement à la France.

Les élites françaises ont été parties prenantes de l'ambiance festive qui a accompagné la victoire du Onze de France au mois de juillet 1998. Spontanées ou stratégiques, ces analyses « à chaud » offrent à l'historien un tableau riche mais assez confus des représentations du sentiment national à la fin du xxᵉ siècle. Si une grande majorité des observateurs voient dans la victoire d'une équipe plurielle un signe encourageant pour le modèle français d'intégration, l'idéal d'une société française qui prendrait en compte la diversité dans sa dimension politique, économique, sociale et culturelle n'est pas acquis et fait toujours débat. Certes, la diversité de la population française est enfin admise, mais, entre partisans d'une gestion de la diversité par l'assimilation et partisans d'une citoyenneté plus ouverte aux différences, la Coupe du monde 1998 ne permet pas de trancher. Chacun trouve matière à justifier sa position.

La Coupe du monde 1998 est à classer parmi les événements historiques, dans la mesure où sa portée s'inscrit dans la durée. Point de référence, ce « moment » est ancré dans la mémoire publique. Les joueurs de cette équipe sont entrés, selon *France Football*, dans « la légende du siècle [1] ». Ils deviennent des vedettes de premier plan : leurs faits et gestes sont l'objet d'une attention médiatique sans précédent [2]. Les bonnes performances des Tricolores après le Mondial contribuent à la pérennisation de leur exploit.

En outre, les retombées de la victoire de juillet 1998 dépassent largement les milieux du football : il existe bien un « effet Coupe du monde » sur le sport, la politique, l'économie et la culture, comme le montrent le grand succès du concert « 1, 2, 3 Soleils » rassemblant Khaled, Rachid Taha et Faudel à Bercy, en septembre 1998, ou le roman *Black-blanc-beur* de François Parent, paru en 1999, qui raconte comment Fatima, jeune musulmane, tombe amoureuse de Jean-Baptiste, un « çaifran », pendant la Coupe du monde, « une histoire d'amour moderne impossible avant l'épopée de l'équipe de France », selon les mots de l'auteur [3].

Expression d'un sentiment diffus provoquant des comportements bien réels, cet impact est difficile à mesurer et à quantifier.

---

1. *France Football*, 4 juillet 2000.
2. Voir le mémoire de maîtrise de Nicolas Douchet, *Les Effets médiatiques de la Coupe du monde 1998*, université de Versailles-Saint-Quentin-en-Yvelines, 2003.
3. François Parent, *Black-blanc-beur*, Paris, La Bartavelle, 1999.

9. QUEL « EFFET COUPE DU MONDE » ?

Après quelques semaines, quelques mois, la victoire des footballeurs français continue d'avoir une influence dans le domaine du football et du sport, mais aussi à l'échelle de la société. Beaucoup de cassettes des meilleurs moments, des ouvrages, des albums souvenirs, une avalanche publicitaire confirment l'impact durable du Mondial, qui se traduit également par de bons indicateurs économiques[1]. À l'automne 1998, selon les statistiques de l'Insee[2], la consommation est relancée en même temps que le moral des Français qui, lui, est au plus haut. La Coupe du monde a des conséquences effectives sur l'économie hexagonale[3].

Le journaliste du *Monde* Alain Lebaube propose une réflexion sur l'« Effet Mondial » à la rentrée 2008 : après un été passé sur un petit nuage, la France continue d'afficher un optimisme à toute épreuve ou presque. Rien ne semble l'affecter outre mesure[4]. Entre le retour en force de la croissance et la victoire libératrice en football, tout va très bien... Mais les écueils ne sont pas dissipés pour autant : « On peut célébrer la France multicolore devenue championne du monde, l'appeler de ses vœux, mais néanmoins redouter le racisme tapi dans les scores électoraux qui empoisonnent la vie des régions. Pour être exemplaire, la

---

1. *La Croix*, 18 septembre 1998.
2. *Insee Infos*, novembre 1998.
3. Emmanuelle Réju, « La Coupe déborde sur l'économie française », *La Croix*, 12 juillet 1998.
4. *Le Monde*, 26 septembre 1998.

réussite de Zinédine Zidane n'empêche pas que l'exclusion sévisse dans certains quartiers. Nous risquons donc un réveil pénible. »

Après le rêve, le retour aux réalités quotidiennes

Dans la chronique « Télévision » du *Monde* qui fait suite au premier match amical d'après-Mondial, Autriche-France (2-2), le 19 août à Vienne, Daniel Schneidermann s'attarde sur une rencontre « étrangement normale ». À peine était-elle commencée que les spectateurs avaient rajeuni d'un mois : « Égrenés comme une prière au fil du match par les commentateurs, les noms de Zidane, Lizarazu, Karembeu étaient bien les mêmes qui avaient enchanté tout l'été[5]. » Des souvenirs encore frais viennent à l'esprit de chacun : « Ces noms-là, on ne pourrait plus les entendre comme avant. Rentrant dans le quotidien, ils n'y rentreraient jamais tout à fait. »

Effectivement, après la fête, les Français reviennent sur terre. L'union sacrée autour du ballon rond est rattrapée par les réalités quotidiennes. L'opinion réalise que l'épopée des Bleus n'est qu'une belle histoire qui ne résoudra pas les problèmes structurels de la société. *L'Humanité* en fait le constat dans différents quartiers de la banlieue parisienne : le retour à la routine a éteint la fierté de se reconnaître dans l'équipe championne du monde au caractère multicolore[6]. Et l'intégration ? L'événement a été une expérience identitaire donnant l'occasion à chacun de se poser explicitement la question de savoir ce que signifie être français[7]. Mais comment traduire un engouement soudain, et par définition éphémère, en une série de mesures et d'attitudes durables ? Immédiatement, Alain Peyrefitte a perçu l'impératif : ce moment de grâce doit durer car « si nous réservons le patriotisme aux pelouses des stades, comme un élément du folklore sportif, si nous n'avons connu qu'une émotion éphémère, quelle dérision[8] » !

Dans les faits, peu de changement, la proposition de régularisation de Charles Pasqua n'ayant pas été relevée par le gouvernement socialiste,

---

5. *Le Monde*, 24 août 1998.
6. *L'Humanité*, 10-11 juillet 1999.
7. *La Croix*, 9 juillet 1999.
8. *Le Figaro*, 13 juillet 1998.

aucune mesure pour une intégration plus clairement affirmée ne semble en vue. Kofi Yamgnane, ancien secrétaire d'État à l'Intégration, a profité du Mondial pour envoyer, durant l'été 1998, une lettre à tous les partis politiques afin qu'ils placent des Français d'origine étrangère sur leurs listes pour les élections européennes : sans succès.

Avec le temps, une partie des Français vit la décrue de la passion comme une désillusion. En octobre 1998, lorsque des casseurs profitent de manifestations étudiantes pour briser des vitrines et effectuer des razzias au cœur de la capitale, Ivan Rioufol, éditorialiste au *Figaro*, se demande où est passé l'« effet Mondial » : « Cette étonnante fraternité euphorique des banlieues et des villes n'a pas réduit la fracture sociale née des effets conjugués du chômage et de l'immigration. Zidane n'a pas réussi à opérer le miracle espéré[9]. » *La Croix* estime que la France « blanc, black, beur » n'a pas passé l'été : « Qu'est-il advenu de cette France métissée riche d'espoir et de promesse ? [...] Tout était devenu possible, même la communion entre des hommes de tous les horizons, même l'intégration[10]. » L'euphorie s'est éteinte progressivement et, dès la rentrée, chacun a retrouvé son quotidien avec son cortège d'exclusions pointées par les associations antiracistes. Selon Malek Boutih, président de SOS-Racisme, trop de vertus sont données à une manifestation qui n'a été qu'un « moment où l'on a fait abstraction des différences sociales ». Mouloud Aounit, président du Mrap, exprime le même sentiment d'amertume : « En juillet, j'avais beaucoup d'espoir. La France plurielle avait réussi à se cimenter autour d'un projet. Un champ immense était ouvert, mais ce ne fut qu'un feu de Bengale. » Mamine, coordinateur de la Maison des potes de Saint-Denis, est tout aussi déçu :

> Les jeunes se sont mobilisés autour d'une équipe qui, pour une fois, les représentait. La Coupe du monde avait permis de mettre en lumière le caractère pluriethnique du pays. Les jeunes qui avaient le sentiment d'être des Français de seconde zone se sont rendu compte qu'ils n'étaient pas des extraterrestres et qu'ils appartenaient au même pays, la France. Le contrecoup n'en est que plus désolant.

9. *Le Figaro*, 16 octobre 1998.
10. *La Croix*, 24 juin 1999.

Rafik Chergui, animateur d'adolescents à Vénissieux, propose une analyse semblable : « J'ai vu la Coupe du monde comme un grand pas vers la disparition de la discrimination raciale, mais je pense que ce sont mes enfants qui en profiteront. Aujourd'hui la société a peur de voir un nom arabe au gouvernement, c'est pour cela que l'intégration n'avance pas. »

La « France moisie », cette tribune du *Monde* devenue célèbre en janvier 1999 illustre le retour à une forme de pessimisme que la Coupe du monde 1998 avait provisoirement balayée : l'écrivain Philippe Sollers y présente une France essoufflée, sans projet ni enthousiasme[11]. Malgré ce retour à une réalité plutôt douloureuse, avec le temps, la victoire garde cependant une influence sur les mentalités. Plusieurs villes de la banlieue parisienne comme Saint-Denis ou Aubervilliers entendent prolonger l'« effet Coupe du monde » sous l'impulsion d'une action sociale portée par leurs maires communistes, Patrick Braouezec et Jack Ralite[12].

Du « football boom » au vedettariat des champions du monde

L'« effet Coupe du monde » provoque un développement significatif de la pratique du football dès la rentrée de septembre 1998 : 240 000 nouveaux licenciés, surnommés les « baby-boomers de la Coupe du monde », nés au football comme d'autres naissent à la peinture. Ils adhèrent aux clubs avec enthousiasme : au total, le nombre de licenciés augmente de 12 % par rapport à l'année précédente[13]. La contagion du football n'est donc pas seulement médiatique, elle se traduit aussi par une affluence accrue dans les clubs d'adultes et d'enfants. La France renforce ainsi la base populaire et économique de ses clubs. Parmi les amateurs, les équipes de quartier tout particulièrement ont enregistré des adhésions en masse de jeunes. Les 10 à 16 ans sont à la fois les plus emballés pour la France « black, blanc, beur » et pour une pratique régulière du football[14]. Au total, 35 000 débutants de plus, 40 000 poussins, 20 000 benjamins : le nombre officiel de licenciés chez les jeunes est passé de 560 000 pour la

---

11. *Le Monde*, 28 janvier 1999.
12. *Le Monde*, 28 novembre 1998.
13. *Le Monde*, 16 novembre et 22 décembre 1998.
14. *Libération*, 26 août 1998.

saison 1997-1998 à 650 000 pour la saison 1998-1999[15]. Les amateurs de ballon rond se sont réveillés avec l'envie d'imiter leurs héros. Le ministère de la Jeunesse et des Sports profite de ce « football-boom » pour lancer une campagne en faveur de l'insertion des jeunes : parrainée par Aimé Jacquet à l'automne 1998, « 1, 2, 3 : à vous de jouer » appelle les jeunes à s'inscrire dans des clubs ou des écoles de football[16].

Autre conséquence, le nombre de spectateurs assistant aux rencontres de la nouvelle saison du championnat de France qui commence a augmenté : la victoire des Bleus incite les Français à se rendre au stade pour encourager leur équipe favorite[17].

Liée à une pratique en hausse, au fil des mois, la popularité des champions du monde s'étend, notamment dans les cités[18]. Le classement annuel des cinquante personnalités préférées des Français proposé par le *Journal du dimanche* en est un exemple. À l'issue de l'enquête d'opinion commandée à l'Ifop en février 1999, Zinédine Zidane est classé troisième, Aimé Jacquet sixième, et Fabien Barthez huitième ; les trois étant absents du classement de l'année précédente[19]. Autre signe, depuis la victoire, d'innombrables visiteurs du musée Grévin à Paris réclament les personnages en cire de Zidane et de Barthez. Sans plus attendre, le PDG du musée, Bernard-Gabriel Thomas, les intronise en mars 1999 en présence des deux vedettes[20]. Dans un sondage effectué en 1999, Fabien Barthez bénéficie de la faveur des Français, de peu devant Zinédine Zidane[21]. Plébiscité par les sondés de l'institut Ipsos pour l'hebdomadaire du marketing, de la communication et des médias *Stratégies*, Aimé Jacquet est élu « homme de l'année 1998 » par le milieu des médias et de la publicité, talonné par Platini en troisième position et Zinédine Zidane en cinquième[22].

Les Bleus entrent dans l'univers des people[23] et leur succès déclenche une série de campagnes publicitaires et commerciales. En janvier 1999, *Les Échos* établissent un premier bilan, très positif : le Mondial

---

15. *Libération*, 16 novembre 1998.
16. *Le Monde*, 25 octobre 1998.
17. *La Croix*, 8 août 1998.
18. *Le Figaro*, 9 juillet 1999.
19. *Le Journal du dimanche*, 28 février 1999.
20. *Le Figaro*, 23 mars 1999.
21. *Le Journal du dimanche*, 4 juillet 1999.
22. *Stratégies*, 28 novembre 1998.
23. *L'Équipe magazine*, 12 août 2006.

est un exploit aux retombées économiques importantes, une véritable manne financière[24]. Les économistes sont surpris de voir les indicateurs de confiance comme le moral des ménages et des industriels remonter au cours du second semestre 1998. L'économiste Nordine Naam fixe l'impact de l'« effet Mondial » sur la croissance économique pour l'année 1998 à 0,2 % du PIB, sans toutefois faire l'unanimité parmi ses pairs. L'influence de la victoire reste difficile à évaluer pour de nombreux spécialistes[25].

Le moindre souvenir de l'exploit des footballeurs devient rentable : 5 000 petits blocs de la pelouse du Stade de France lors de la finale sont vendus au prix de 120 francs l'unité[26]. Largement piraté avant d'être commercialisé début décembre 1998, le maillot frappé du numéro 10 de Zinédine Zidane s'impose comme le cadeau de Noël du footballeur passionné ou en herbe. Très sollicités, les joueurs acceptent pour la plupart de vendre leur image à des marques. L'équipe fait doubler les ventes des parfums Adidas après la compétition[27]. Zinédine Zidane signe avec la marque Complices une licence de vêtements portant son nom et un logo formé d'un double « Z » renversé[28]. La vedette de l'équipe de France signe aussi un contrat chez Dior pour le parfum *Eau sauvage*. Lilian Thuram et Emmanuel Petit sont invités pour Opel à se souvenir des moments magiques de la Coupe du monde. Fabien Barthez, après avoir représenté Leader Price, embrasse le crâne d'un hamburger pour McDonald's[29]. Bixente Lizarazu et Emmanuel Petit vantent les mérites des biscuits Lu, tandis que Laurent Blanc incite à acheter des stylos de la marque Bic.

RTL s'appuie sur l'enthousiasme du Mondial à travers une affiche publicitaire placardée sur les murs de France en septembre 1998 montrant un groupe de jeunes fêtant la victoire, « Être ensemble, c'est l'essentiel », en prenant soin de valoriser la pluralité des personnes qui tiennent le drapeau. Une campagne de SOS-Racisme en octobre s'appuie également sur l'« effet Mondial » pour appeler à la vigilance

24. *Les Échos*, 13 janvier 1999.
25. *Libération*, 4 juillet 2000.
26. *Le Monde*, 20 août 1998.
27. *Le Monde*, 3 juillet 1998.
28. *Le Figaro*, 30 novembre 1998.
29. *Libération*, article de Gérard Lefort, 12 septembre 1998, et article de Catherine Mallaval, « Neuf mois après le Mondial, les Bleus font toujours recette : champions de la pub », 14 avril 1999.

contre les expulsions d'étrangers. Des affiches aux dimensions imposantes, sur lesquelles on peut voir un joueur de l'équipe de France de dos, sont placardées dans le métro et les lieux publics avec la mention : « Ce soir-là, tous les Français ont été scandalisés par l'expulsion d'un Black », faisant référence au carton rouge reçu par Marcel Desailly lors de la finale.

Diffusé par Canal Plus, le film documentaire de Stéphane Meunier sur les coulisses de l'équipe de France durant le Mondial, *Les Yeux dans les Bleus*, a connu un immense succès dès l'automne 1998 et pendant plusieurs années. Jouant intelligemment sur la connivence entre le public et son équipe, le film raconte une belle histoire et prolonge un bonheur partagé. Un autre documentaire, *Trente-trois jours en France*, diffusé sur La Cinq le 17 août, revient sur l'événement dans son ensemble. Ayant plutôt porté leur effort sur l'avant-Mondial, les éditeurs français, loin d'avoir envisagé un tel succès, ne sont pas en mesure de proposer des ouvrages en temps voulu. Le premier, rédigé par le journaliste Patrice Romedenne, *Et un et deux et trois zéro... Cent jours dans les coulisses du Mondial*, sort fin août chez Michel Lafon. Pour répondre à une demande du public non satisfaite, d'autres ouvrages sont publiés pour les fêtes de fin d'année[30]. Quelques champions du monde se transforment en écrivains, comme Aimé Jacquet qui publie son autobiographie, *Ma vie pour une étoile*, en mai 1999[31], précédant celle de Zinédine Zidane, *Zidane, roman d'une victoire*[32], conçue avec l'aide de Dan Franck sous la forme d'un journal intime en mars 2000. Suivent les ouvrages de Marcel Desailly[33] et de Christophe Dugarry[34] en 2002, puis de Lilian Thuram en 2004[35].

---

30. On peut trouver par la suite avant Noël 1998 : Guillaume Rebière, *L'Album de la Coupe du monde 1998*, Paris, Calmann-Lévy, 1998 ; Pierre-Louis Basse, *Zidane, Dugarry : mes copains d'abord*, Paris, Mango, 1998 ; Dominique Grimault, *La Coupe du monde 1998, le livre d'or*, Paris, Solar, 1998, et *Les Bleus, le livre officiel de l'équipe de France*, Paris, Solar, 1998 ; Agence Vandystadt, *Coupe du monde 1998, cent photos pour l'éternité*, Paris, Vandystadt éditions, 1998 ; Bertrand Meunier, *La Coupe du monde, le livre souvenir*, Paris, La Sirène, 1998.
31. Aimé Jacquet, *Ma vie pour une étoile*, Paris, Robert Laffont, 1999.
32. Zinédine Zidane et Dan Franck, *Zidane, roman d'une victoire*, Paris, Pocket, 2000.
33. Marcel Desailly, *Capitaine*, Paris, Stock, 2002.
34. Christophe Dugarry, *L'Insoumis*, Paris, Bord de l'eau, 2002.
35. Lilian Thuram, *8 juillet 1998*, Paris, Anne Carrière, 2004.

Rétrospective 1998 et premier anniversaire : un parfum de nostalgie

À la fin de 1998, en période de rétrospective de l'année écoulée, la Coupe du monde est considérée comme l'événement le plus important d'une « belle année ». Jean d'Ormesson l'affirme dans *Le Figaro* : « En 1998, d'abord il y a le football[36]. » Dans un supplément spécial, *France Football* titre : « Pour l'éternité » en inscrivant la victoire dans un passé qui semble déjà lointain : « La France a conquis l'Himalaya. Avec son équipe de football, elle a vécu du 10 juin au 12 juillet une histoire d'amour qui n'a pas débuté sur un coup de foudre, mais qui s'est achevée sur quelques heures de bonheur fou[37]. » Les journalistes retracent dans les moindres détails le jour de la finale sous le titre « Il était une fois le 12 juillet... » Les deux coups de tête de Zinédine Zidane sont revus des centaines de fois à l'occasion des fêtes de fin d'année[38].

Revenant sur l'idée de l'année « sans pareille », l'écrivain marocain Tahar Ben Jelloun, sans être amateur de football, avoue avoir été ému par la Coupe du monde chez lui, à Tanger : « Je me suis surpris, je me suis laissé entraîner par cette euphorie passagère[39]. » Le jour de la finale, devant son poste de télévision avec des amis marocains, il hurle pour soutenir la France. « Je ne soupçonnais pas cette solidarité fantastique [...]. Cela a été un événement plus que sportif. » La dimension symbolique de la victoire n'a pas échappé au romancier, en colère face à la banalisation du racisme. En dehors de l'Hexagone, Tahar Ben Jelloun constate que l'image de la France est en train de changer : « L'étranger sait maintenant que la France est un pays composé de plusieurs couleurs. Et la confirmation de cette Coupe du monde, c'est justement que la France qui gagne est une France métissée. »

Et un an après, le Mondial fait toujours rêver la France[40]. Jeunes ou vieux, agriculteurs ou ouvriers, smicards ou salariés aisés, électeurs du PC ou du RPR, tous s'accordent à dire que la Coupe du monde a été un événement important inscrit dans toutes les mémoires.

---

36. *Le Figaro*, 30 décembre 1998.
37. *France Football*, 29 décembre 1998.
38. *Libération*, 4 janvier 1999.
39. *La Croix*, 31 décembre 1998.
40. Sondage CSA réalisé les 1er et 2 juillet 1999 auprès d'un échantillon national représentatif de 1 004 personnes âgées de 18 ans et plus, *La Croix*, 9 juillet 1999.

L'empressement avec lequel les télévisions évoquent le 12 juillet dépasse la simple exaltation chauvine d'un haut fait national, il exprime une sorte de nostalgie d'un bonheur vite enfoui.

Un sondage Ipsos effectué en juin 1999 le confirme : les deux images les plus marquantes restent les deux buts de Zinédine Zidane et le défilé sur les Champs-Élysées[41]. Selon un autre sondage CSA, 82 % des Français estiment que la Coupe du monde a contribué à développer une bonne image du football dans la société. Au cours de cette enquête, 70 % des personnes interrogées s'accordent sur le fait que la Coupe du monde a permis de rapprocher les Français de différentes origines. Un sondage de l'Ifop pour *L'Événement du jeudi* informe que 54 % des Français se sentent désormais plus optimistes et que 55 % d'entre eux pensent que cette victoire va contribuer à améliorer les relations entre Français et immigrés[42]. Selon une enquête de l'institut BVA pour *Paris Match*, la Coupe du monde permet, aux yeux de 88 % des sondés, de développer un climat de bonne entente entre les individus, et pour 57 % de renforcer l'attachement des Français à leur pays[43].

En juillet 1999, l'écrivain Jean Rouaud rappelle avec nostalgie le souvenir des heures qui ont suivi la victoire un an plus tôt :

> On en redemandait. Encore et encore. Pas des buts, non, mais cette pause formidable dans l'histoire de ce peuple. Une vraie pause. Sans tireurs embusqués sur les toits, sans cadavres dans les placards de la justice, comme lors de cette descente historique au même endroit, presque aussi lente du général de Gaulle en août 1944. Car on ne nous le répétait jamais assez que, depuis la Libération, on n'avait jamais vu autant de monde sur les Champs-Élysées. Libération ? Tiens, le pays enfin libéré ? Mais de quoi ? De quels tourments intérieurs, de quel deuil interminable ? Logiquement, le principal défait fut celui qui avait ironisé sur cette Légion étrangère engagée sous le maillot bleu, ce fut l'homme qui avait presque réussi son putsch, en prétendant incarner la voix souterraine de la France[44].

---

41. Enquête Ipsos pour *France Football*, 12 juin 1999, réalisée sur 1 011 personnes selon la méthode des quotas.
42. *L'Événement du jeudi*, 16 juillet 1998.
43. *Paris Match*, 30 juillet 1998.
44. *Le Monde*, 13 juillet 1999.

Malgré l'inévitable retour aux réalités dès les mois d'août et de septembre 1998, l'«effet Coupe du monde» a continué à animer la vie publique. Dans le milieu du football comme dans les milieux politiques et économiques, de manière plus ou moins avérée, certains comportements ou décisions ont été guidés par le succès du Onze tricolore. Véritable événement, l'épisode de juillet 1998 n'a pas été oublié ; au contraire, il est encore présent aujourd'hui dans toutes les mémoires : soit pour exprimer des espoirs déçus, soit pour repérer des acquis obtenus, soit enfin pour exprimer un sentiment nostalgique. Car très vite toutes les occasions sont bonnes pour se rappeler, comme en juillet 1999, un an plus tard, la fête monumentale de l'année précédente. En 2000, il n'est pas nécessaire de mettre en scène une nouvelle commémoration : un nouvel exploit des Bleus la provoque naturellement.

10. L'EURO 2000 OU LA FÊTE PROLONGÉE

La phase finale de la onzième édition du Championnat d'Europe des nations, disputée entre le 10 juin et le 2 juillet 2000 en Belgique et aux Pays-Bas, offre à une équipe de France à l'effectif assez stable, désormais entraînée par Roger Lemerre, son second trophée en deux ans. Zinédine Zidane est à cette occasion au sommet de son art, meilleur qu'en 1998 où il n'avait pu se révéler véritablement que lors de la finale[1].

Après avoir été classés seconds du groupe D, derrière les Pays-Bas contre lesquels les Tricolores s'inclinent (2-3), mais en ayant précédemment dominé le Danemark (3-0) et la République tchèque (2-1), les coéquipiers du capitaine Didier Deschamps prennent le dessus sur l'Espagne en quart de finale (2-1) et le Portugal en demi-finale (2-1, « but en or[2] ») avant de venir à bout de l'Italie en finale à l'issue d'un match palpitant : menée jusqu'à la toute dernière minute, l'équipe de France parvient à arracher l'égalisation grâce à Sylvain Wiltord dans les arrêts de jeu et à l'emporter sur une superbe reprise de volée de David Trezeguet. Ce but en or donne la victoire à la France (2-1).

---

1. *Le Figaro*, 1er juillet 2000.
2. La règle du but en or a été instaurée par la Fifa entre 1996 et 2000 : lorsque deux équipes arrivent à égalité à la fin du temps réglementaire d'un match à élimination directe, la première équipe qui marque en prolongation est déclarée vainqueur et le match s'arrête.

« Monumental ! » : *L'Équipe* reprend la forme d'exposé choisie en 1998 avec un seul mot pour titre, une photo de liesse collective et un éditorial sur une colonne en liseré[3]. « L'effet Mondial se répète », estime Antoine de Gaudemar dans *Libération*[4], sans doute moins spectaculaire et moins massif, mais tout aussi réel. L'engouement s'installe durablement : non seulement le football est populaire, mais il gagne les milieux jusqu'ici les plus rétifs ou les plus indifférents[5]. « La victoire en héritage » : le titre du *Figaro* établit le lien avec la Coupe du monde 1998[6], tout comme *L'Humanité* titrant à sa une : « 720 jours après[7] ».

« Décrisper » le débat sur l'immigration

Pour les Bleus, l'Euro 2000 est une manière de poursuivre l'aventure de la Coupe du monde. Personne ne s'y trompe. C'est aussi une manière de vérifier si la fête de juillet 1998 peut connaître des prolongements, notamment sur la question toujours épineuse de l'intégration. Le slogan de l'Euro, « Football sans frontières », se place sous le signe de la diversité culturelle ; une campagne publicitaire contre le racisme l'accompagne.

Conséquence de l'« effet Coupe du monde », dans une démarche semblable à celle de Charles Pasqua, l'ancien Premier ministre Alain Juppé affirme dans une interview au *Monde* remarquée, à l'automne 1999, qu'il est temps d'aborder différemment la question de l'immigration en proposant aux personnalités politiques un « cessez-le-feu sur l'immigration ». L'ancien ministre, qui avait envoyé la police briser les portes de l'église Saint-Bernard contre les sans-papiers en 1996, considère désormais que la notion d'« immigration zéro » ne veut pas dire grand-chose. Il estime en outre que la « décrispation » sur le sujet est possible grâce au contexte économique devenu plus favorable, mais aussi parce que les Français sont plus tolérants qu'auparavant. Sans renier les lois restrictives Pasqua (1993)-Debré (1997), il déclare que le regroupement familial est un droit et que l'Europe, compte tenu de sa

---

3. *L'Équipe*, 3 juillet 2000.
4. *L'Humanité*, 30 juin 2000.
5. *Libération*, éditorial, 1er juillet 2000.
6. *Le Figaro*, 1er juillet 2000.
7. *L'Humanité*, 1er juillet 2000.

démographie, « aura sans doute besoin d'apports de main-d'œuvre étrangère » dans un avenir proche[8]. Acceptant l'idée d'une trêve, le ministre de l'Intérieur, Jean-Pierre Chevènement, interrogé au journal de 20 heures de TF1 le 7 novembre, affirme que les propositions d'Alain Juppé sont envisageables.

Le débat sur l'immigration s'apaise : à toute une série d'indicateurs positifs, comme la baisse du chômage et une certaine pacification du jeu politique à ce moment de la cohabitation Chirac-Jospin, s'ajoute l'« effet Coupe du monde ». Les bonnes performances des Bleus ont contribué à une détente dans les relations entre Français et immigrés. Le journaliste du *Monde* Philippe Bernard constate la dissociation opérée depuis quelque temps entre « immigration » et « intégration » : entretenue par l'extrême droite et largement répandue, la confusion entre la gestion de l'entrée de nouveaux étrangers et les questions de scolarité, d'accès au logement et au travail des jeunes générations issues des familles immigrées installées depuis des décennies en France n'avait jusqu'alors fait qu'envenimer le débat[9].

Les mentalités sont donc en cours d'évolution. Toutefois, une action volontariste contre les discriminations tarde à se concrétiser. Au début de l'année 2000, un texte intitulé « Deux ans de perdus » est signé par onze personnalités[10] appartenant au collège des médiateurs de Seine-Saint-Denis en faveur des sans-papiers. Le gouvernement et l'opinion sont invités à se préoccuper davantage d'intégration et de discrimination. Pour y parvenir, l'impact de la Coupe du monde ne doit pas être négligé :

> Nous étions en mesure d'espérer de ce gouvernement une politique ambitieuse où l'ensemble des forces sociales seraient appelées à faire converger leurs efforts pour réaliser une « insertion citoyenne » menée de pair avec la lutte contre l'exclusion. Il n'y avait pas grand-chose de nouveau à inventer, il fallait tout d'abord rompre avec les méthodes de la droite, il fallait

---

8. *Le Monde*, 2 octobre 1999.
9. Philippe Bernard, « Au revoir l'intégration », *Le Monde*, 13 avril 2000.
10. Parmi ces personnalités, on trouve, entre autres, Stéphane Hessel, ambassadeur émérite, résistant ayant choisi la France libre, Mouloud Aounit, président du Mrap, Jean Bellanger, Bernard Charlot, professeur à l'université Paris-VIII, Jean-Marc Dupeux, secrétaire général de la Cimade, Yves Ermann Pasteur, Emmanuel Terray...

profiter de l'« effet Zidane », si présent aujourd'hui après la Coupe du monde[11].

Il est vrai que les footballeurs n'ont guère utilisé leur image pour faire avancer les choses concrètement depuis 1998 : Zinédine Zidane, tout comme ses coéquipiers, n'a pris aucune position politique. Seul Marcel Desailly s'exprime sur la nécessité d'établir des quotas pour les minorités visibles dans l'audiovisuel en prônant le modèle anglais[12].

L'Euro 2000 relance le lien entre football et intégration, et conforte l'idée d'un événement qui dure dans le temps. La nouvelle victoire française, pourtant vécue avec moins d'intensité, est présentée comme un prolongement de l'ambiance festive partagée deux ans plus tôt.

Une nouvelle explosion de joie collective

À nouveau rassemblés autour d'un succès, les Français adoptent les mêmes comportements que précédemment. En retransmettant la finale, TF1 enregistre son meilleur score d'audience depuis 1989, date à partir de laquelle l'audience est mesurée quotidiennement : 21,4 millions de téléspectateurs (soit 77,5 % de parts de marché, mieux que la finale de 1998 avec 20,6 millions) assistent à l'épilogue heureux pour les Bleus du but en or de David Trezeguet, le 2 juillet 2000, au stade De Kuijp à Rotterdam.

Comme en 1998, les Français ont attendu les bons résultats de l'équipe de France pour montrer de l'intérêt à la compétition. La demi-finale haletante France-Portugal est conclue par un but en or sous la forme d'un penalty transformé par Zinédine Zidane qui propulse la France en finale : l'opinion constate qu'avec la sélection tricolore, qui a le don de faire basculer un match en une épopée sportive, il se passe décidément quelque chose en plus du sport. Rarement un pays, capable de se réunir au tiers devant sa télé pour assister aux exploits de onze footballeurs, n'aura connu depuis ces vingt dernières années une histoire aussi mouvementée autour de son équipe.

Cinq mille personnes se retrouvent au stade Charléty pour suivre la finale, avec, parmi elles, l'écrivain Érik Orsenna, qui ne veut pas vivre

---

11. *L'Humanité*, 21 janvier 2000.
12. *L'Humanité*, 24 juin 2000.

l'événement seul devant sa télé[13]. Douze mille spectateurs assistent à la rencontre assis sur le parvis de l'Hôtel de Ville de Paris devant l'écran géant. Partout la victoire est accueillie par une immense clameur, les Français descendent massivement dans la rue : une nouvelle occasion de faire la fête. Dans le XVIIIᵉ arrondissement, à la station de métro Château-Rouge, l'ambiance est folle, les Beurs en profitent : « Zidane président », reprennent-ils en chœur en faisant tournoyer le drapeau algérien en hommage à leur idole[14]. Aux Ulis, dans l'Essonne, un journaliste de *L'Équipe* assiste au match avec la famille de Thierry Henry, fière de son champion qui a grandi « ici entre ces immeubles droits comme des I, pliés comme des équerres, d'un blanc qui se confond avec les nuages[15] ».

Aux Champs-Élysées, 400 000 personnes sont bientôt rassemblées pour exprimer leur bonheur, comme cet enseignant : « Je croyais que le football était un sport de beaufs, mais, depuis la Coupe du monde et grâce à mes enfants, je trouve cela merveilleux. » Un autre, professeur en retraite, se félicite de cette « foule bigarrée, aussi multiple que l'équipe de France et qui nous fait oublier Le Pen ». À Lyon, 5 000 spectateurs se retrouvent place des Terreaux où le match est retransmis sur écran géant. À Lille ou à Marseille, plusieurs milliers de personnes en transe déferlent sur la Grand-Place ou sur le Vieux-Port. *Le Monde* titre à sa une : « Et un, et deux... et Paris est de nouveau dans la rue[16]. » Les chants, les slogans, la joie et le métissage sont les mêmes qu'en 1998.

Toutefois, quelques incidents sont à déplorer au cours de la soirée. Il est un peu moins de minuit quand les forces de l'ordre interviennent en lançant des grenades lacrymogènes contre des bandes de jeunes qui ont commencé à briser quelques vitrines, piller des magasins et saccager des voitures : au total, 72 interpellations et 148 blessés à Paris où la soirée a tourné court. Même scénario à Marseille où les policiers interviennent contre des jeunes qui les ont bombardés de canettes de bière et qui ont brisé des vitrines de plusieurs boutiques de la Canebière : une soixantaine de blessés sont comptabilisés.

Ces débordements ne gâchent toutefois pas le retour des champions d'Europe, reçus dès le lendemain de la finale en véritables

---

13. *L'Équipe*, 3 juillet 2000.
14. *La Croix*, 4 juillet 2000.
15. *L'Équipe*, 3 juillet 2000.
16. *Le Monde*, 4 juillet 2000.

héros. Après un accueil chaleureux à l'aéroport de Roissy retransmis en direct sur TF1, la coupe d'Europe est présentée au balcon de l'hôtel Crillon, place de la Concorde, à 16 heures. Les joueurs de Roger Lemerre reçoivent l'ovation d'environ 45 000 personnes : des cris fusent, des drapeaux se lèvent, une *Marseillaise* est même entonnée lorsque Didier Deschamps soulève la coupe, entouré de l'ensemble de la sélection française. On relance les anciens slogans : « On est champions ! » ou : « Zizou président ! » Dans la foule, beaucoup sont des récidivistes : ils étaient déjà là deux ans plus tôt. Jérôme est sur place en costume, il a séché une heure de bureau : « Un moment comme le 12 juillet 1998, on veut le revivre forcément, même si on sait que ce ne sera jamais pareil. » L'ovation a duré une demi-heure, puis la place de la Concorde s'est vidée tranquillement, « en habituée »[17]. La dispersion est tout aussi rapide chez les joueurs : après cet épisode, chacun repart rapidement de son côté et, mis à part Christian Karembeu, aucun des héros ne participe à la soirée programmée en leur honneur au Lido. Le journal de 20 heures de TF1 doit même annuler la séance programmée en direct avec les footballeurs. Le président de la République ne réédite pas l'invitation des Bleus pour les cérémonies du 14 Juillet, se contentant de les recevoir pour un déjeuner à l'Élysée le 31 août.

Malgré ces signes d'essoufflement, *L'Équipe* considère que « la folie bleue est de retour[18] », *L'Express* voit « le bonheur en bleu[19] », tandis que « La France amoureuse de ses bleus » est le titre proposé à la une d'un *Paris Match* bleu, blanc, rouge qui consacre un numéro souvenir dédié à la victoire française. À l'instar de Jacques Chirac, deux ans plus tôt, Lionel Jospin signe un article de préambule. Le Premier ministre se montre fier de la solidarité de cette équipe « plurielle et métissée, sachant donner du plaisir et du bonheur aux Français ». Très lu, ce dossier n'est pas avare de métaphores sur les grands moments de l'histoire de France : « À l'Hôtel de Ville, c'est la révolution » ; « L'heure de gloire est arrivée » ; le « champ d'honneur » et, avec humour : « On n'avait pas vu ça depuis... la Coupe du monde[20]. »

---

17. *Libération* et *L'Humanité*, 4 juillet 2000 ; *Le Monde*, 5 juillet 2000.
18. *L'Équipe*, 4 juillet 2000.
19. *L'Express*, 6 juillet 2000.
20. *Paris Match*, 13 juillet 2000.

La relance des discours sur l'intégration

Avec la victoire, le couple football et intégration mis en scène en juillet 1998 réapparaît sans grand changement, presque mécaniquement. Les médias reprennent le fil du discours là où ils l'avaient laissé. À Marseille, l'image de Zinédine Zidane est toujours en place sur le mur de l'immeuble de la corniche. Ce visage de cent dix mètres carrés avec la mention « *made in* Marseille » reste placardé sur le pan d'une maison qui surplombe la mer jusqu'à la retraite de Zidane en 2006. À l'issue de l'Euro, 66 % des Marseillais considèrent Zinédine Zidane comme le meilleur représentant de leur ville[21].

La demi-finale entre la France et le Portugal, le 28 juin, au stade du Roi-Baudoin à Bruxelles, suscite des sentiments contrastés chez les jeunes Français d'origine portugaise, sans que cela prenne l'ampleur démesurée du France-Algérie de l'année suivante. Parmi l'importante foule de spectateurs qui assiste à la rencontre devant le grand écran de la place de l'Hôtel-de-Ville de Paris, plusieurs centaines supportent le Portugal. Certains d'entre eux sont français, mais, pour cette rencontre, leur origine portugaise prend le dessus : « Ce soir, c'est ma patrie contre mon pays d'accueil[22] », résume Marie, 20 ans. Même attitude pour un lycéen de 18 ans, Gilles : né à Antony, il se fait appeler Gil et aime le pays de ses parents qu'il supporte pour l'Euro[23]. D'autres supporters du Portugal, migrants de la « première génération », sont de nationalité portugaise, comme Manuel Dias, 37 ans, originaire de l'Alentejo et arrivé en France à l'âge de 18 ans : il a trouvé un emploi de coursier, puis de gardien de nuit, et a fondé une famille. S'il soutient le pays de ses racines, avec des centaines d'autres immigrés, Manuel Dias ne critique pas son pays d'accueil ; au contraire, toute la famille est réunie pour supporter les Bleus en finale.

La victoire française est directement à l'origine de la relance par la gauche de l'épineux débat sur le droit de vote des non-Européens aux élections locales[24]. En effet, certains députés jugent anormal que les parents de Zinédine Zidane, vivant en France depuis plusieurs

---

21. Sondage Ipsos, *Libération*, 8 septembre 2000.
22. *Libération*, 29 juin 2000.
23. *La Croix*, 30 juin 2000.
24. Yvan Gastaut, « Les étrangers sont-ils des électeurs comme les autres ? », *L'Histoire*, février 2001.

décennies, soient privés de droits civiques[25]. Dans un appel contre « les injustices de plus en plus grandes qui frappent les immigrés », le socialiste Kofi Yamgnane est indigné de voir la France continuer aveuglément à refuser la citoyenneté aux parents de Zidane, en même temps qu'elle demande à celui-ci de porter les couleurs de notre pays à travers tous les continents. L'éditorial de Claude Cabanes dans *L'Humanité* demande la mise en place de mesures de souplesse : « Deux ans après son triomphe, la France continue de se reconnaître en elle [...]. Quel bonheur ! Les Bleus n'en finissent pas de battre à plate couture le droit du sang pour faire la fête au droit du sol ! Allez, monsieur le Gouvernement, dans la foulée, faites le geste décisif vers les sans-papiers et vers nos frères, parmi nous depuis longtemps, qui n'ont pas le droit de vote[26]. » Le député écologiste de la Gironde, Noël Mamère, va plus loin, invitant le meneur de jeu de l'équipe de France à militer personnellement pour le droit de vote des étrangers : « Zinédine Zidane a montré qu'il était capable de mouiller son maillot pour faire gagner la France [...] ; j'aimerais bien qu'il mouille sa chemise pour faire gagner ses parents[27]. » En juillet 2000, selon un sondage CSA, 55 % des Français se déclarent « très » ou « assez favorables » à l'extension du droit de vote pour les élections municipales et européennes aux résidents étrangers non membres de l'Union européenne vivant en France. Il s'agit de 3 % de plus qu'en octobre 1999, 11 % de plus qu'en 1998, 27 % de plus qu'en avril 1996[28]. Il semble possible de le mettre en place d'ici à quelque temps : peut-être en 2002 avec les élections présidentielles... et la prochaine Coupe du monde[29]. Pourtant, malgré cette évolution favorable et ces promesses, aucune mesure concrète n'est prise pour octroyer le droit de vote aux étrangers non européens.

---

25. La question s'est à nouveau posée en 2005 lorsque Brice Hortefeux, ministre délégué aux Collectivités territoriales du gouvernement Villepin, défenseur du droit de vote des étrangers aux élections locales, a pris l'exemple du père de Zinédine Zidane ne votant pas, pour démontrer la nécessité de mettre en œuvre cette mesure. Voir *Le Monde*, 29 octobre 2005.
26. *L'Humanité*, 3 juillet 2000.
27. *Libération*, 5 juillet 2000.
28. Sondage réalisé en deux temps, les 28 et 29 juin 2000, d'abord sur un échantillon de 1 000 personnes âgées de plus de 18 ans selon la méthode des quotas, puis sur un échantillon représentatif de 460 maires, *Les Échos*, *La Croix* et *Le Figaro*, 5 juillet 2000 ; *L'Humanité*, 6 juillet 2000.
29. *Le Monde*, 10 août 2000.

Comme en 1998, certains observateurs, notamment des militants associatifs, se réjouissent que les gigantesques fêtes puissent cimenter une société de plus en plus segmentée et réunir, dans une même fierté, sous les couleurs d'un même drapeau, les jeunes Français « blacks, blancs, beurs ». Mais ils s'inquiètent de l'omniprésence du « culte médiatico-politique » de la fête dans la vie publique, sans lien avec la réalité. Tant mieux si le football favorise les discours sur l'intégration, mais la popularité méritée de Zinédine Zidane ne doit pas faire oublier que l'intégration se fait d'abord à l'école, comme le notent des éducateurs : « En France, la fête est belle car elle décloisonne une société qui en a bien besoin. Mais ne nous laissons pas prendre au piège de la citoyenneté festive. La fête ne remplacera jamais le contrat social[30]. » Domar Idrissi, conseiller d'arrondissement de la ville de Lyon, Mohamed Khanchi et Filali Osman, universitaires lyonnais, estiment que « Zidane cache la forêt » et que les Français issus de l'immigration maghrébine aspirent à une véritable représentation dans la vie sociale et politique : l'intégration doit se mesurer autrement qu'à l'aune des buts marqués par Zidane[31].

Du patriotisme à une culture française de la « gagne »

L'Euro 2000 ne fait pas l'économie d'une nouvelle série de tribunes passionnées sur le patriotisme du football, l'occasion pour certains intellectuels de revenir sur des réflexions amorcées deux ans plus tôt.

Aussi patriote qu'en 1998, *Le Figaro* estime que « les Bleus de France virent au bleu roi ». La France voit la vie en bleu depuis ce 12 juillet 1998 « où elle se hissa sur le toit du monde du football. Une explosion de joie salua ce triomphe. Une explosion de fierté nationale. D'un seul coup ou presque, tout un pays se découvrait une âme de supporter ». La rédaction du quotidien, sous la plume de Jean-Christophe Papillon, est heureuse de voir que cet engouement s'inscrit dans la durée :

« Phénomène de mode », pensaient les derniers irréductibles. Deux ans après, la fièvre bleue persiste et « met le feu » à enivrer

---

30. Éditorial de Renaud Girard, *Le Figaro*, 8 juillet 2000.
31. *Libération*, 19 juillet 2000.

l'Hexagone [...]. Ils sont partout, les footballeurs français. Nouveaux rois de l'audimat et du showbiz, stars des médias et de la publicité. Dans les magazines, sur les plateaux de télévision, sur les affiches. Leur image fait vendre, fait rêver. Leur image leur échappe parfois. Icônes païennes d'une société en manque de rêves. Pourquoi un tel engouement ? Pourquoi cet immense pouvoir de séduction qui a fini par conquérir même les femmes, si longtemps hostiles au ballon rond ? Ce groupe soudé par le succès a gommé bien des complexes. Symbole de réussite, il donne envie d'avancer et fait oublier les soucis du quotidien. Il permet, le temps d'un match ou d'une compétition, de balayer les différences. Le sport, phénomène social par excellence, a atteint son paroxysme dans la foulée de ces Bleus rois [...]. En deux ans, la vague bleue a submergé la France, l'a noyée dans l'euphorie béate. Totalement irrationnelle, mais tellement belle[32].

Gérard Nirascou compare les scènes de joie collective qui ont suivi le Mondial et l'Euro avec les traditionnelles festivités du 14 Juillet. À sa façon, chaque événement joue le même rôle : rappeler que des millions de Français sont fiers de vivre ensemble et de partager des valeurs communes[33].

Constat à nouveau formulé : le football est la seule cause nationale capable de faire descendre dans la rue en un instant des centaines de milliers de personnes, à la gloire de joueurs « qui ne sont pas des "sans patrie" certes, mais qui sont assurément devenus "sans frontières" », selon une analyse de *Libération* : « La France qui gagne façon Zidane et ses équipiers est largement un mirage social, mais elle est aussi une leçon au cœur des interrogations hexagonales du moment, entre identité et compétitivité[34]. »

Nombreux sont les intellectuels, comme l'écrivain Denis Tillinac, qui aiment retrouver grâce au football une France millénaire, immémoriale, celle de Fernand Braudel[35], une France au centre du monde, marquée par l'enracinement dans les terroirs[36]. Mais cet ancrage identitaire

---

32. Éditorial de Jean-Christophe Papillon, *Le Figaro*, 3 juillet 2000.
33. *Le Figaro*, 14 juillet 2000.
34. *Libération*, 4 juillet 2000.
35. Voir notamment Fernand Braudel, *L'Identité de la France*, Paris, Arthaud, 1986, 3 volumes.
36. Voir Eugen Weber, *La Fin des terroirs*, Paris, Fayard, 1988.

ne saurait tourner à la réclusion : dans chaque famille, il y a un poste de télévision et, sur l'écran, on voit les Tricolores de Roger Lemerre commémorer « les preux de Charlemagne, les grognards de Bonaparte, les poilus de Verdun, les maquisards du Vercors, en proposant de la France une autre imagerie tout aussi braudélienne. Voilà la France de jadis, de naguère et de demain, glorieuse en l'occurrence [37] ».

Déjà passionnée en 1998, Françoise Giroud s'extasie elle aussi à nouveau : « quelle belle histoire » que ce Championnat d'Europe gagné à l'arraché, ainsi que « cette fermeté dans l'orgueil, nouvelle chez les Français » ! Une équipe change une nation : telle est l'analyse de Laurent Joffrin dans *Le Nouvel Observateur*. Nous vivions jusque-là dans la conscience agressive ou honteuse de la singularité nationale :

> Décidément enracinée, retardataire, ringarde, la France traî- nait son exception comme un boulet. [...] Quoi de plus fran- çais que cette équipe qui chante *La Marseillaise*, qui plonge ses racines au cœur des provinces et draine après elle l'âme de tout un pays ? Mais quoi de plus mélangé, de plus inter- national que ce groupe multicolore dont la plupart des joueurs vivent à l'étranger ? Dominant la compétition plané- taire, les Bleus vivent la mondialisation comme une seconde nature [...]. Mais ils ont aussi un patriotisme naturel, un patriotisme... cosmopolite. Peu à peu ce dépassement se pro- jette en politique.

Quant à Jacques Julliard, sa chronique parle d'une *foot pride* : « Aujourd'hui les Français ont *La Marseillaise* facile et le "Black, Blanc, Beur" ne répugne pas à s'habiller en bleu, blanc, rouge [38]. » D'où, selon lui, l'erreur d'analyse commune aux économistes américains et aux intellectuels français qui persistent à voir dans la France « un pays souffreteux, à l'écart du progrès et scrogneugneu [...]. Mais ils ne voient pas que les Français épousent désormais sans complexe le nou- veau siècle ». Se laissant aller à une leçon de « proudhonnisme », l'édi- torialiste du *Nouvel Observateur* affirme que la France n'est jamais si performante que lorsqu'elle met les ressources de son génie individuel au service d'une cause collective : seul un pays gai, conquérant est

---

37. Article de Denis Tillinac, *L'Express*, 13 juillet 2000.
38. *Le Nouvel Observateur*, 6 juillet 2000.

capable de surmonter ses petitesses et peut trouver en lui-même les ressources de sa générosité. La « gagne à la française[39] » ou « culture de la gagne » : l'expression se développe dans toutes les familles d'opinion. La France n'est plus « championne des matchs amicaux », fini le « poulidorisme »[40].

Olivier Dassault, dans un éditorial pour *Valeurs actuelles*, établit un parallèle entre football et économie : la pérennité de la croissance repose sur une adaptation accélérée du système de formation, la France n'y excelle véritablement qu'en football[41]. Jean-Claude Trichet, gouverneur de la Banque de France, parie que la victoire à l'Euro aura un effet sur le moral des Français et donc sur l'économie dans son ensemble[42]. Un chef d'entreprise enthousiaste prédit la veille de la finale qu'une victoire française produira 0,5 % de croissance en plus et 200 000 chômeurs de moins[43]. Comme en 1998, ces prévisions se confirment : l'Euro favorise effectivement une relance de l'économie. Autre atout dans ce domaine, l'image de la France à l'étranger s'améliore ; *Le Nouvel Observateur* consacre à l'issue de la compétition un dossier intitulé « Quand la victoire s'exporte », qui démontre comment la France perçue comme solide, persévérante et efficace s'impose aux yeux du monde : « Faite d'individualités brillantes et de jeu collectif, cette France qui ne lâche pas prise réunit les meilleurs atouts pour gagner dans l'économie mondialisée. » L'hebdomadaire de Jean Daniel entend donner au football la portée économique que les « conjoncturistes » rechignent à voir. Dans l'euphorie de la victoire de 1998, Dominique Strauss-Khan, ministre des Finances, ayant à juste titre laissé espérer quelques dixièmes de point de croissance supplémentaire, avait essuyé les critiques de nombreux économistes convaincus que ce succès n'aurait aucun impact, ni à court ni à long terme sur l'économie française. *Le Nouvel Observateur* entend le rappeler :

> Loin du monde réel, ces fameux conjoncturistes n'ont rien vu venir. Loin du monde réel, généralement peu familiers des sports populaires, reclus derrière leur arsenal statistique, ils avaient tout

---

39. Laurent Joffrin, « La gagne à la française », *Le Nouvel Observateur*, 6 juillet 2000.
40. *Le Figaro*, 4 juillet 2000.
41. *Valeurs actuelles*, 13 juillet 2000.
42. *L'Équipe magazine*, 8 juillet 2000.
43. *Le Nouvel Observateur*, 13 juillet 2000.

simplement oublié que l'économie, c'est d'abord la vie, et percevoir les jeunes de banlieue comme des casseurs haineux ou comme des Français colorés, chaleureux, turbulents et efficaces n'induit pas les mêmes comportements économiques. Loin d'être une cerise sur le gâteau, la victoire de la France au Mondial a donné le signal d'un retournement complet de conjoncture.

Pour certains même, l'année 1998 correspond à la sortie d'une crise de vingt-cinq ans : « Après le 3-0 contre le Brésil, malgré les crises russes et asiatiques, la croissance dépasse 3 % par an : les Français se sont remis à consommer. Le chômage s'effondre, la machine est relancée. »

Dans sa chronique du *Monde*, Pierre Georges avance l'idée selon laquelle les footballeurs français seraient devenus, sans trop y penser, les « éclaireurs avancés » du moral des ménages, des « prophètes en leur pays ». Par leurs exploits, ils auraient annoncé la reprise générale et l'envie de conquête de la France « dans l'univers hostile du mondialisme ». « Ne doutez pas », tel est le double message de « l'encyclique 1998 et de l'encyclique 2000 que les papes bleus ont fait passer aux populations ».

Grâce à ses performances lors de l'Euro 2000 à la suite duquel il est élu meilleur joueur, Zinédine Zidane détrône l'abbé Pierre dans le cœur des Français, selon le classement des cinquante personnalités les plus aimées publié par le *Journal du dimanche* le 6 août 2000[44]. Pour la première fois, un sportif prend la tête de ce célèbre classement. Profitant de ce nouveau succès, le meneur de jeu de l'équipe de France a fait monter les enchères auprès des sponsors publicitaires[45].

« Tous ensemble, tous en bleu » : les performances du Onze de France et des équipes à l'emblème du coq gaulois sont un facteur de réchauffement des relations sociales au tournant du siècle[46]. Les manifestations festives du peuple français exprimées en 1998 retrouvent deux ans plus tard une partie de leur éclat. Fête en guise de contrat social, la victoire à l'Euro est un excellent préambule à la « Méridienne », ce grand

---

44. Sondage effectué par l'Ifop du 6 au 11 juillet sur un échantillon représentatif de 1 099 personnes, selon la méthode des quotas, *Le Journal du dimanche*, 6 août 2000.
45. *Les Échos*, 4 juillet 2000. Depuis le 21 juin 2000, Zinédine Zidane porte les couleurs de Volvic : voir *Le Monde*, 13 juillet 2000.
46. *Le Monde*, 8 février 2001.

pique-nique prévu le 14 juillet 2000 par 320 communes françaises situées sur le méridien de Paris. Cet événement aussi original que convivial, sponsorisé par la marque Lotus, se place dans l'« air du temps ».

En lieu et place d'identités forcloses, avec la Coupe du monde 1998 et l'Euro 2000, le temps des « identités chaleureuses[47] » est venu, confirmant ainsi les analyses de l'anthropologue Christian Bromberger pour qui le football est un support à l'affirmation des identités collectives, des championnats de quartier aux compétitions internationales. Autre constat indéniable : la société française se « footballise », dans la mesure où ce sport est utilisé comme une référence de plus en plus essentielle dans la vie publique. Le parcours d'un footballeur comme Zinédine Zidane ayant atteint le sommet par le travail et l'effort contribue à donner envie à la jeunesse française de cultiver des valeurs indispensables à la citoyenneté[48].

47. *Réforme*, 6 juillet 2000.
48. Interview au *Figaro*, 4 juillet 2000.

Cinquième partie
LE MATCH FRANCE-ALGÉRIE, LA DÉCONFITURE ?
LE 6 OCTOBRE 2001, UN ANTI-12 JUILLET 1998

Le 6 octobre 2001 au Stade de France, pour la première fois depuis l'indépendance de l'Algérie, l'équipe de France est opposée à l'équipe nationale algérienne. En préambule à l'Année de l'Algérie en 2003, les fédérations française et algérienne de football ont prévu une rencontre amicale entre les deux pays à la suite du souhait partagé par les deux gouvernements de Lionel Jospin et d'Ahmed Benbitour[1]. Lors d'un voyage en Algérie en avril 2000, dans le cadre d'un accord de coopération et d'une reprise des échanges entre les deux pays, la ministre des Sports, Marie-George Buffet, donne son accord pour organiser une rencontre de football historique à la suite d'une entrevue avec son homologue, le ministre des Sports algérien, Abdelmalek Sellal. L'idée vient en effet du gouvernement algérien qui aurait voulu organiser le match à Alger, mais les conditions de sécurité n'étant pas toutes réunies, le Stade de France a semblé une meilleure solution.

L'annonce du match provoque chez les Algériens de France, et plus encore chez la deuxième, voire la troisième, génération issue de l'immigration, un « réveil identitaire » plutôt douloureux. Entre deux cultures, entre deux pays, entre deux équipes nationales, qui choisir, qui supporter ? La rencontre est l'occasion d'une mise au point sur le sentiment identitaire franco-algérien au vécu très varié en fonction des parcours personnels. D'une certaine façon, il s'agit du choix ultime : qui placer d'abord dans son cœur ? Le pays qui est le vôtre aujourd'hui ou celui de vos ancêtres ? Grâce à ce match, tout le monde est persuadé qu'on en saura davantage sur l'intégration des populations issues de l'immigration.

Outre le poids diplomatique et la question du « mixte » franco-algérien, la rencontre est entourée d'une couche supplémentaire de complexité avec les événements du 11 septembre 2001 qui bouleversent la planète, hébétée par les images des avions écrasés sur les tours du World Trade Center de New York. Dans un contexte de psychose collective, le match prend une tout autre envergure. De plus, l'« affaire Houellebecq » défraie la chronique dans l'Hexagone. Lors d'un entretien accordé au magazine *Lire* dans le cadre de la sortie de son livre *Plateforme*,

---

1. Ahmed Benbitour est Premier ministre du président de la République Abdelaziz Bouteflika de décembre 1999 à août 2000, avec Abdelmalek Sellal comme ministre de la Jeunesse et des Sports. Entre août 2000 et 2003, c'est Ali Benflis qui est Premier ministre, avec le Pr Boubekeur Benbouzid comme ministre de la Jeunesse et des Sports.

l'écrivain a déclaré entre autres : « La religion la plus con, c'est quand même l'islam. Quand on lit le Coran, on est effondré... effondré[2]. » Michel Houellebecq est aussitôt accusé d'islamophobie[3].

Dans la dynamique de la Coupe du monde 1998 et de l'Euro 2000, ce match amical fait l'objet d'une attention médiatique exceptionnelle. Présenté comme le match de la réconciliation, il doit apporter la confirmation d'un apaisement dans la guerre des mémoires franco-algériennes et donner encore plus de crédit au processus d'intégration des générations issues de l'immigration maghrébine. Or la rencontre émaillée d'incidents a connu un scénario contraire à celui escompté, provoquant ce que le journaliste Mustapha Harzoune appelle un « psychodrame autour du ballon rond[4] ». Premier accroc, en présence du chef de l'État, du Premier ministre et de plusieurs membres du gouvernement, *La Marseillaise* est conspuée par la majorité des 80 000 spectateurs du Stade de France, puis, pendant le match, des gestes obscènes sont adressés aux joueurs de l'équipe de France. Sur le terrain, la rencontre se déroule pourtant dans un bon esprit. Logiquement, les Bleus dominent les Fennecs algériens : Vincent Candela ouvre la marque à la 20e minute de jeu, suivi par Emmanuel Petit à la 32e, et Thierry Henry à la 40e. Certes, Djamel Belmadi parvient à réduire le score juste avant la mi-temps pour le Onze vert et blanc, mais, après la sortie de Zinédine Zidane remplacé au repos, Robert Pirès aggrave la marque à la 54e minute. La France mène par 4 buts à 1 lorsque, à la 76e minute de jeu, plusieurs dizaines de jeunes supporters « blacks, blancs, beurs » déjouent la vigilance des stadiers et, à la stupéfaction générale, envahissent la pelouse, de manière pacifique selon certains, de manière agressive selon d'autres, aux cris de « Vive Ben Laden ! » et en insultant les joueurs français. Aussitôt l'arbitre interrompt la rencontre. Elle ne reprendra pas.

Si l'envahissement du terrain n'était pas rare dans l'histoire du football jusqu'aux années 1980, à l'image par exemple du match Paris Saint-Germain - AS Saint-Étienne en finale de la Coupe de France

---

2. Propos recueillis par Didier Sénécal, *Lire*, septembre 2001.
3. Le Mrap et la Ligue des droits de l'homme attaquent l'écrivain en justice. Mais il est relaxé par le tribunal correctionnel de Paris le 22 octobre 2002, qui rattache les propos de Michel Houellebecq au droit à la critique des doctrines religieuses.
4. Mustapha Harzoune, « Psychodrame autour d'un ballon rond », *Hommes et Migrations*, n° 1244, juillet-août 2003.

en 1981, cette pratique est devenue inconcevable au début du XXIᵉ siècle, période du tout sécuritaire. Ce match peut être lu comme un négatif du match France-Brésil : si la patrie a été sauvée le 12 juillet 1998, elle est en danger le 6 octobre 2001. Après avoir été le pays de l'immigration triomphante, la France est (re)devenue le pays de la radicalité et du racisme[5].

---

5. Voir aussi Mahfoud Amara, « Soccer, Post-Colonial and Post-Conflict Discourses in Algeria: Algérie-France, 6 octobre 2001, "ce n'était pas un simple match de foot" », *International Review of Modern Sociology*, vol. 32, nᵒ 2, automne 2006, p. 217-239.

11. PRÉPARATIFS MOUVEMENTÉS
POUR LE « MATCH DE LA RÉCONCILIATION »

« France-Algérie, quarante ans d'arrêts de jeu », tel est le titre proposé en une aux lecteurs de *Libération*, accompagné d'une photographie de l'équipe algérienne au moment des hymnes [1]. Le ton est donné : la rencontre est une occasion de revisiter l'histoire des silences franco-algériens depuis l'indépendance ainsi que de mettre en exergue les mémoires tourmentées de la guerre d'Algérie [2]. Qu'il ait fallu près de quarante ans pour que l'ancienne puissance coloniale française et la nouvelle nation algérienne s'affrontent dans un stade pour un banal match de football est l'illustration parfaite d'un « passé qui ne passe pas [3] ». Cette rencontre inédite sera peut-être l'occasion de tourner une page de l'histoire complexe des relations entre les deux rives de la Méditerranée : nombreux l'espèrent dans les jours qui précèdent la rencontre. *France Football* consacre ainsi un numéro spécial en titrant : « Un match pour l'histoire [4]. » Au diapason de l'ensemble de la presse sportive ou non, l'éditorial de Gérard Ernault évoque la réconciliation « de Dunkerque à Tamanrasset ».

---

1. *Libération*, 6-7 octobre 2001.
2. Voir sur ce sujet les nombreux travaux de Benjamin Stora, notamment *La Gangrène et l'oubli*, Paris, La Découverte, 1991.
3. Selon l'expression utilisée pour la mémoire de la période de Vichy ; voir Henry Rousso et Éric Conan, *Vichy, un passé qui ne passe pas*, Paris, Fayard, 1994.
4. *France Football*, 2 octobre 2001.

Un match au parfum singulier pour les « biculturels »

Marie-George Buffet, en visite en juillet dans les centres de vacances de sa circonscription à Stains et au Blanc-Mesnil, constate avec surprise que la perspective du match réveille la question de l'identité chez les jeunes issus de l'immigration. Des enfants de 9 et 10 ans lui demandent ce qu'ils doivent faire, car ils aiment les deux équipes. La ministre ne parvient pas à dissiper leur tourment : « Je leur ai dit : "Faites comme moi, applaudissez les deux équipes", mais je ne les ai pas convaincus et ils sont restés avec leurs questions. Mais je comprends, il y a des souvenirs de famille qui doivent revenir [5]. »

Le match est présenté dans les médias comme un soir de fête pour la plupart des enfants d'Algériens nés en France qui supportent les Fennecs et admirent Zinédine Zidane. Les jours qui le précèdent sont l'occasion de donner des éclairages médiatiques sur les liens supposés entre football et intégration, trois ans après la victoire de 1998.

La communauté franco-algérienne attend la rencontre avec enthousiasme et refuse d'entendre parler de débordement : il s'agit de prouver que les Algériens ne sont ni des terroristes ni des casseurs. Beaucoup de fils d'immigrés souhaitent que ce match rapproche les deux pays et crée des « liens fraternels » à l'image de Yacine Bachi, 28 ans, binational, vivant à Bobigny. Son souhait aurait été que Zinédine Zidane porte le maillot algérien en seconde mi-temps en forme de symbole [6]. Cette idée en forme de boutade est émise à de nombreuses reprises dans la presse et à la télévision. Selim, 23 ans, agent de sécurité à Gennevilliers, bien que de nationalité française, a décidé de porter un survêtement vert et blanc de la sélection algérienne pour se rendre au stade : « On vient pour supporter notre équipe et faire la fête. » Selim est convaincu que si Zinédine Zidane marque un but, il n'embrassera pas son maillot : « On ne va pas être méchant avec lui, c'est un confrère. Quand il va entendre l'hymne national algérien, il va trembler [7]. » Mourad, 21 ans, ingénieur commercial, un Français d'origine kabyle, adopte la même attitude : « J'espère que ce match va montrer la vraie valeur du football, mais aussi du peuple algérien. » Il se déclare « à 100 % »

---

5. *AFP Infos*, 4 octobre 2001.
6. *Ibid.*
7. *Ibid.*

en faveur de l'Algérie : « C'est mon pays. Durant toutes mes vacances, je vais au bled[8]. »

Le quartier cosmopolite de la Goutte-d'Or à Paris s'apprête à vivre une fête. Mohand Abdelkader Madi, président de l'Union de la communauté algérienne de Paris (Ucap), association proposant activités sportives, soutien scolaire, cours d'informatique et de langue arabe, créée à l'issue de la Coupe du monde 1998, résume l'opinion générale de son millier d'adhérents : « Cette rencontre est un énorme symbole pour 2,5 millions de Franco-Algériens et le peuple algérien dans son ensemble[9]. » Déjà utilisés pour la Coupe du monde 1998 et l'Euro 2000, les drapeaux vert et blanc sont accrochés aux murs des cafés du quartier de Belleville. Au sein de la communauté algérienne de la région Île-de-France, toutes les discussions portent sur le match. Même à la Grande Mosquée de Paris, c'est le sujet central, l'occasion de rassembler des souvenirs, notamment l'équipe du FLN de 1958 ou la Coupe du monde 1982[10]. Certains envisagent, si tout se passe bien, d'aller faire la fête sur les Champs-Élysées[11].

L'émotion de Zinédine Zidane en question

Un journaliste de *L'Humanité* se rend à Marseille pendant les jours qui précèdent la rencontre. Les quartiers Nord sont prêts à faire la fête. Les associations de quartier, soutenues par la mairie communiste du VIIIe arrondissement, doivent se retrouver au complexe sportif La Martine au pied de l'hôpital Nord, pour une fête populaire dont le point d'orgue est la retransmission du match sur écran géant. Cette opération baptisée « quartiers Nord, quartiers en or » a pour objectif de rassembler toutes les cultures des cités de Marseille. Lahcène Khanès, boucher et ancien président du club de la Nouvelle Vague de la Castellane, le club de Zinédine Zidane, avoue être partagé : « D'un côté, vu mes origines, je penche pour l'Algérie. En même temps, Zinédine que j'ai vu naître et qui est parrain

---

8. *Ibid.*
9. *Le Monde*, 6 octobre 2001.
10. Voir Paul Dietschy, Yvan Gastaut et Stéphane Mourlane, *Histoire politique des Coupes du monde*, Paris, Vuibert, 2006.
11. *L'Humanité*, 6 octobre 2001.

d'honneur de notre club joue avec l'équipe de France. Ce qu'il faudrait ce soir, c'est un bon match nul[12]. »

Tout particulièrement sollicité à l'occasion de ce match, Zinédine Zidane, un peu fatigué, blessé et énervé par les questions qu'on lui pose sur ses origines, ne souhaite pas dévoiler la profondeur de ses sentiments[13]. Le joueur du Real Madrid déclare tout de même dans *Le Figaro* : « Je suis le seul Algérien d'origine de la sélection et j'en suis fier. Je comprends qu'on parle plus de ce match avec moi qu'avec un autre joueur, mais si on pouvait ne parler que de sport, ça m'irait très bien[14]. » Puis, dans *Le Monde*, il en convient, « ce match est quelque part historique », tout en lâchant une première confidence : « Pour la première fois de ma vie, je ne serai pas déçu si l'équipe de France ne gagne pas[15]. » Dans un autre entretien accordé à RTL depuis Madrid, il exprime plus précisément son émotion : « Je croise des gens d'origine algérienne qui me demandent depuis quelques jours d'y aller doucement. Si j'avais à choisir un match nul pour la France, eh bien, je préférerais que ce soit celui-là. J'espère que ce sera un beau spectacle pour nous Français et pour nous Algériens[16]. » Enfin, à force d'être interrogé par les journalistes sur ses racines algériennes, il concède qu'il aura un « pincement au cœur » en entrant sur le terrain.

Ces quelques révélations suscitent des réactions en chaîne au sein de l'équipe de France et dans l'opinion publique. Ses coéquipiers le comprennent volontiers et admettent que ce ne sera pas facile pour lui, tel Thierry Henry : « J'ai de nombreux copains algériens, ce sera déjà difficile pour moi mais incomparable avec ce que va vivre Zinédine[17]. » Le sélectionneur Roger Lemerre, appartenant à la « génération algérienne », respecte d'autant plus l'attitude de son joueur : « Peu importe que la famille de Zidane soit algérienne ou française. Il a la chance de vivre en France, un pays en paix, mais il est aussi de sang algérien. Qu'il en soit fier. Pour lui, cela va être un match entre amis. Pas une nation contre une autre nation, mais des frères contre des frères[18]. »

---

12. *L'Humanité*, 6 octobre 2001.
13. *Les Cahiers du football*, 4 octobre 2001 : l'article de Djamel Attal présente ironiquement Zinédine Zidane comme un « symbole muet ».
14. *Le Figaro*, 5 octobre 2001.
15. *Le Monde*, 6 octobre 2001.
16. *L'Équipe*, 5 octobre 2001.
17. *Libération*, 5 octobre 2001.
18. *L'Équipe*, 4 octobre 2001.

En revanche, Malek Boutih, président de SOS-Racisme, se laisse aller à quelques critiques dans *Le Nouvel Observateur* : « Si Zidane proclamait plutôt qu'il est français, qu'il est un accomplissement et un bonheur français... Son pincement au cœur quand il joue contre l'Algérie, je m'en fous, cela ne sert à rien[19] ! » Plus nettement encore, dans *Le Figaro*, Ivan Rioufol somme la vedette des Bleus de choisir son camp : « Oui, on aimerait que Zinédine Zidane, qui ne cache pas sa tendresse pour l'Algérie de ses racines, se dise clairement, c'est-à-dire uniquement, français[20]. »

Pour apaiser la polémique, le jour du match, *L'Équipe magazine* cherche le consensus en rêvant d'un « Zizou » orateur à la Martin Luther King :

> Et si ce soir sur la pelouse d'un Stade de France archicomble, Zinédine Zidane s'emparait du micro devant les 80 000 spectateurs de ce match historique et s'adressait à cette foule « blanc, black, beur », où se mêleront sans y accorder la moindre importance Français d'ici, Français de là-bas, harkis, pieds-noirs, Algériens et tant d'autres supporters de tant d'autres horizons. Et si devant cette France multiculturelle dont nous sommes si fiers, le fils de Malika et Smaïl, partis de leur village des montagnes kabyles pour rejoindre la banlieue parisienne puis les quartiers Nord de Marseille, prononçait quelques mots en cette soirée qu'il a fallu attendre si longtemps. [...] Zinédine ne cesse de répéter qu'il s'exprime balle au pied et que, son éloquence, il la réserve au terrain, et seulement au terrain. Pourtant, s'il devait y avoir une seule exception dans sa carrière, ce devrait être pour ce soir. Juste quelques mots pour dire que, près de quarante ans après l'indépendance de l'Algérie, ce match que l'on a cru si longtemps impossible porte en lui d'immenses espoirs, qu'il est l'un de ces fils qui permettent de refermer des déchirures. L'Algérie et la France, l'histoire commune de ces deux pays a été faite de lumière et de ténèbres, d'amour et de haine, de passion et de folie aussi[21].

Une enquête de *L'Équipe* nuance toutefois la sensibilité des joueurs au poids de l'histoire. Outre l'apolitisme chronique de certains, comme

---

19. *Le Nouvel Observateur*, 11 octobre 2001.
20. *Le Figaro*, 13-14 octobre 2001.
21. Éditorial de *L'Équipe magazine*, 6 octobre 2001.

Thierry Henry qui déclare : « Les trucs politiques, ce n'est pas notre problème », il existe un effet de génération. Nés entre 1968 et 1977, c'est-à-dire entre six et quinze ans après les accords d'Évian, les joueurs sont trop jeunes pour être sensibles aux questions liées à la guerre d'Algérie.

La psychose d'actes terroristes

Classé à « hauts risques » par la Fifa, la préfecture de Seine-Saint-Denis et le ministère de l'Intérieur bien avant les attentats de New York, jamais un match amical n'avait suscité autant d'attention et de précaution. Le climat de crise internationale, conséquence des événements du 11 Septembre, n'a fait qu'accroître la psychose, conduisant à intensifier le plan Vigipirate.

Cette « amitié sous haute surveillance », selon *L'Équipe*, nécessite plus de quinze jours de préparation. Plus d'un millier de policiers sont placés en renfort aux abords du stade pour effectuer des fouilles systématiques des spectateurs et des coffres de voiture ainsi qu'une vérification des banderoles. Toutes les oriflammes frappées de couleurs autres que celles des deux équipes sont interdites. Une opération de déminage du stade et des parkings est également prévue peu avant le coup d'envoi. Le nombre de stadiers et de policiers en civil présents dans les tribunes est augmenté. Un haut fonctionnaire de police ironise dans *Libération* sur le dispositif de sécurité qu'il juge démesuré : « La police a mis le paquet, presque trop[22]. »

Les Renseignements généraux s'attendent à différents cas de débordements : outre l'envahissement du Stade de France, ils redoutent le blocage des entrées par des milliers de jeunes des cités sans billets ayant l'intention d'entrer au stade « en force ». Autre crainte, une bronca pour couvrir *La Marseillaise* et des slogans contre Zinédine Zidane : le meneur de jeu des Bleus pourrait être la cible de groupes vociférant et brandissant des banderoles « Zidane harki ». Beaucoup d'Algériens de France lui reprochent en effet ses silences sur ses origines et son parcours. Dans le même esprit, des banderoles propalestiniennes semblent en préparation, des agents des Renseignements généraux ont appris l'achat massif de drapeaux palestiniens et leur circulation dans la capitale, dans le quartier de Barbès notamment. Enfin, un prosélytisme intégriste ferait de ce

---

22. *Libération*, 6-7 octobre 2001.

match un bon moyen pour soutenir la cause de l'islam radical, le jihad et l'Afghanistan, en incitant les jeunes issus de l'immigration à aller suivre des formations religieuses et militaires dans ce pays. Certaines bandes de jeunes auraient même prévu de proférer des slogans en faveur d'Oussama Ben Laden. Le danger peut enfin venir de militants kabyles opprimés par le gouvernement algérien qui profiteraient de la couverture audiovisuelle du match pour manifester leur présence soit à Alger, soit au Stade de France. Afin de prévenir une protestation virulente, la veille du match, Abdelaziz Bouteflika fait une annonce favorable à la reconnaissance de la langue berbère. Outre les risques extérieurs, des doutes pèsent sur la société S3G chargée de la sécurité autour du stade, dont le gérant, un Français d'origine algérienne, Ahmed Guenad, conseiller général du Val-d'Oise, est soupçonné de connivence avec certains groupes de jeunes de banlieue. Un démenti est aussitôt apporté par le Consortium du Stade de France, qui réitère sa confiance à cette société.

Plus concrètement, des interpellations ont lieu dans la mouvance islamiste la veille du match : le 5 octobre, en région parisienne, trois personnes algériennes ou d'origine algérienne sont interpellées à Sartrouville dans les Yvelines, une autre en Seine-Saint-Denis, puis placées en garde à vue dans le cadre d'une enquête sur les éventuelles menaces liées au match France-Algérie[23]. Le commissariat d'Issy-les-Moulineaux, dans les Hauts-de-Seine, a reçu une lettre anonyme menaçant de mort Zinédine Zidane : l'auteur affirme qu'il va passer à l'action au Stade de France[24].

À la recherche des conséquences du 11 Septembre, Florence Aubenas ausculte l'« effet Saddam en banlieue » : effectivement, sans louer Oussama Ben Laden, les cités blâment les États-Unis. Si la guerre du Golfe en 1990-1991 avait soudé la communauté maghrébine, les attentats du 11 Septembre l'ébranlent et l'inquiètent. Son reportage, sous la forme d'une anecdote, évoque une contrariété dont est victime Mourad qui tient absolument à assister à France-Algérie. Il appelle un copain d'une amie qui travaille au service des sports d'une municipalité voisine et qui accepte de lui vendre une place. Au moment où il épelle

---

23. *AFP Infos*, 6 octobre 2001, et *Le Monde*, 8 octobre 2001. Grâce à des écoutes téléphoniques, les enquêteurs ont intercepté une conversation au cours de laquelle l'un des suspects affirme, sans autre précision : « Bougez-vous ! », en parlant du match.
24. *AFP Infos*, 4 octobre 2001.

son nom, la voix dit : « Vous vous foutez de ma gueule ? Vous êtes arabe, non ? Vous vous imaginez qu'on va remplir le stade d'Arabes après ce qui s'est passé à New York ? » Dépité, Mourad raccroche : il n'assistera pas au match[25].

Fruit de ces multiples inquiétudes, une rumeur circule dans les rédactions parisiennes et algéroises : le match va être reporté. Il est vrai que plusieurs membres du gouvernement souhaitent tout annuler. De nombreuses voix au sein de tous les courants politiques s'élèvent dans le même sens, jusqu'au Mouvement national républicain (MNR) de Bruno Mégret qui implore l'annulation de cette rencontre « entre Algériens », comme le laisse entendre une caricature, dans un communiqué : « Ce match, au cœur d'un territoire soumis plus que d'autres à la colonisation étrangère afro-musulmane, présente d'évidentes menaces de troubles à l'ordre public. Ne pas l'empêcher est une insulte au peuple français[26]. » Souhaitant contrer ces réactions, le ministre de l'Intérieur, Daniel Vaillant, affirme qu'il n'y a pas de raisons d'être inquiet. Au contraire, selon lui, les gens doivent aller au stade « pour le sport, l'amitié entre les deux pays et la fête[27] ». Marie-George Buffet défend avec insistance le maintien du match : ne pas jouer serait une insulte au peuple algérien.

Un Stade de France algérien

Malgré les pressions et les rumeurs, le match aura bien lieu. Le Stade de France affiche complet. Fait exceptionnel pour un match amical, il sera retransmis dans différentes villes de la banlieue parisienne sur écran géant comme à Stains ou au stade André-Karman à Aubervilliers[28], accueillant surtout des jeunes issus de l'immigration dans une ambiance chaleureusement proalgérienne.

La journée du 6 octobre est calme aux abords du Stade de France. Quelques minutes avant le match, l'AFP constate que l'entrée se fait sans incident dans une ambiance fervente et bon enfant, sur fond d'important dispositif de sécurité[29]. Dans l'enceinte du stade, sur un

---

25. *Libération*, 29 septembre 2001.
26. *AFP Infos*, 4 octobre 2001.
27. *AFP Infos*, 6 octobre 2001.
28. *L'Équipe*, 7 octobre 2001.
29. *AFP Infos*, 6 octobre 2001.

écran géant, le symbolisme est entretenu par les organisateurs : un message de bienvenue en français et en arabe, « Ensemble vibrons football », accueille les spectateurs.

Une majorité d'Algériens de France ou de Français d'origine algérienne ont pris place pacifiquement dans les tribunes dont le cœur, pour une fois, ne bat pas pour les Bleus. L'ambiance est semblable à celle du stade du 5 juillet 1962 à Alger, tant la ferveur des supporters algériens est grande. Dès l'apparition des Fennecs sur la pelouse pour l'échauffement, une immense clameur retentit : les 60 000 supporters algériens réalisent un rêve, beaucoup d'entre eux, notamment les enfants de migrants, voient évoluer « leur » équipe nationale pour la première fois. En revanche, les supporters des Bleus, très en minorité, s'époumonent en vain sans jamais parvenir à faire entendre leur voix.

Les tribunes ne ressemblent pas pour autant à deux camps opposés hermétiques l'un à l'autre. Beaucoup de supporters sont dans une sorte d'entre-deux significatif du mixte franco-algérien. « Si on gagne, on va aux Champs-Élysées comme en 1998 », ironisent Redha et Dani, des supporters algériens de 22 et 30 ans. Sur le chemin du stade, Sarah, 20 ans, brandit le drapeau algérien tout en portant le maillot de l'équipe de France. Sa mère française explique : « Elle est des deux rives », sous le regard complice du père, algérien. Autre scène : Linda porte un maillot de l'Algérie, et sa copine une tunique bleue ; elles se considèrent « assorties ». Linda brandit les deux drapeaux français et algérien en même temps. Des couples mixtes sont aussi dans les tribunes : lui, avec le drapeau algérien ; elle, avec le drapeau français. Enfin, l'un des slogans répétés pour soutenir les Fennecs s'inspire de la Coupe du monde 1998 : « *One, two, three*, Algérie. »

Avec l'entrée des équipes sur le terrain et la cérémonie des hymnes, la tension monte d'un cran. L'hymne algérien, *Kassaman*, interprété par la fanfare de la préfecture de police de Paris, est repris en chœur par le public. En revanche, *La Marseillaise* est copieusement sifflée et le nom des Bleus hué, à l'exception de celui de Zinédine Zidane. À ce moment-là, déjà, quelques supporters algériens tentent de pénétrer sur la pelouse pour déployer des drapeaux vert et blanc ou approcher les joueurs, mais ils sont rapidement ceinturés par les stadiers.

Juste avant le coup d'envoi de la rencontre, le directeur général de l'Unesco, Koïchiro Matsuura, remet aux joueurs des deux équipes le diplôme du sport pour la paix et la médaille du cinquantième anniversaire de la Déclaration universelle des droits de l'homme, « en reconnaissance de [leur] contribution exceptionnelle aux valeurs de paix, de solidarité et de compréhension internationale à travers [leur] pratique sportive[30] ». Puis les vingt-deux joueurs posent ensemble pour une photo promise à l'histoire, et le match peut commencer.

---

30. *AFP Infos*, 6 octobre 2001.

12. STUPEUR ET CONSTERNATION :
LA FAILLITE DE L'INTÉGRATION

À la 76ᵉ minute d'un match largement dominé par les joueurs de Roger Lemerre, au coin de la tribune est, une spectatrice, Sofia Benlemmane, 31 ans, enjambe les panneaux publicitaires et pénètre sur le terrain en faisant voler un drapeau algérien au-dessus de sa tête. La brèche est ouverte, les stadiers n'osant pas la suivre au milieu du terrain. Très vite, deux autres personnes, Aissam Ayadi, 24 ans, et Smaïl Benamrouche, 19 ans, font de même. Puis, en deux minutes, un premier groupe de supporters réussit à pénétrer sur la pelouse, suivi d'un second. Jamais depuis le début de son histoire en 1904 l'équipe de France n'avait connu pareille mésaventure : pour la première fois, les Bleus ne finissent pas un match.

Pendant l'incident qui dure plusieurs minutes, la confusion règne dans les tribunes et sur la pelouse. Tandis que les joueurs rentrent aux vestiaires, la panique gagne la tribune officielle, bombardée de projectiles, où siègent notamment plusieurs membres du gouvernement. Daniel Vaillant est évacué par ses gardes du corps. Élisabeth Guigou, ministre de l'Emploi et de la Solidarité, et Marie-George Buffet sont elles aussi touchées sans gravité par des bouteilles, l'une au front, l'autre à la joue. Lionel Jospin, livide, se lève, poussé vers la sortie par son service d'ordre, puis se ravise en cours de chemin et revient s'asseoir seul au milieu de la tribune désertée par ses occupants : « On pouvait lire la colère sur son visage, il était décomposé, crispé », se souvient l'un de ses voisins[1]. Après ces instants de confusion, le terrain est occupé par les forces de l'ordre qui maîtrisent la situation.

---

1. *Le Point*, 19 octobre 2001.

La ministre de la Jeunesse et des Sports s'empare alors du micro du stade ; elle tente en vain de contenir les jeunes sous une bordée de sifflets : « Je suis Marie-George Buffet, il faut respecter ce match, il faut respecter la joie. » Dans une déclaration officielle présentée en fin de soirée, elle affirme partager la tristesse de tous ceux pour qui ce match représentait beaucoup : « Le match de ce soir devait être une grande fête. Il était attendu dans la joie par des millions de supporters des deux pays. Quelques individus ont malheureusement décidé, à quelques minutes de la fin, de gâcher l'esprit d'amitié qui le caractérisait. » De la même manière, Claude Simonet, président de la Fédération française de football (FFF), tout aussi conspué, tente à son tour de remettre de l'ordre en annonçant que le match est terminé : « Gardons le bon souvenir de ce qui s'est passé, rentrez chez vous dans le calme et l'amitié. » S'exprimant plus tard dans la soirée, il ne cache pas sa déception : « Quand on tend la main, on espère aller jusqu'au bout. C'était l'occasion dans une période difficile de montrer que le football pouvait rassembler. C'est triste pour les Algériens qui jouent en France[2]. »

Lilian Thuram, l'un des rares joueurs à être restés sur le terrain, attrape l'un des adolescents : « Est-ce que tu te rends compte de ce que tu fais ? Est-ce que tu te rends compte que tous les préjugés que l'on a sur toi, tu les renforces ? Et après, tu vas pleurer, tu vas dire qu'on ne te comprend pas. » Le jeune le regarde, sidéré. Il n'a pas l'air de saisir la portée de ses actes, selon le défenseur des Bleus : « Pour lui, c'est un jeu, il est entré sur le terrain avec ses copains sans aucune agressivité, simplement pour dire à ses potes : "Tu m'as vu à la télé[3] ?" » Marqué par l'incident, Lilian Thuram accepte de devenir membre du Haut Conseil à l'intégration quelques mois plus tard[4].

Dans les vestiaires, un malaise parcourt les joueurs des deux équipes, certains sont choqués. Sorti à la mi-temps, Zinédine Zidane a été le premier douché, habillé et parti, sans un mot[5]. Mikaël Silvestre, dégoûté par les sifflets lors de *La Marseillaise*, craint un retour du racisme et du Front national[6]. Franck Lebœuf avoue avoir eu peur et n'a pas

---

2. *AFP Infos*, 6 octobre 2001, 23 heures.
3. Voir les retrouvailles six ans plus tard entre Lilian Thuram et ce jeune, Momo, organisée par *So Foot* à Barcelone, in *So Foot*, janvier 2008.
4. Lilian Thuram, *8 juillet 1998*, Paris, Anne Carrière, 2004.
5. *L'Équipe magazine*, 8 juin 2002.
6. *L'Équipe*, 8 octobre 2001.

dormi les nuits suivant le match[7]. Quant à Marcel Desailly qui n'a « jamais senti une telle hostilité », il remet en cause les belles images de la Coupe du monde :

> En rangeant mon sac, j'ai peine à croire que nous sommes à Saint-Denis, à l'endroit même de la victoire de 1998. Qu'il paraît loin, ce Mondial ! À l'époque, les journaux avaient salué la victoire « black, blanc, beur ». Nous étions les héros d'une nation multiple, généreuse et tolérante. Nous avions donné aux banlieues un motif de fierté et d'apaisement. Avec le recul, je me dis que tout cela était artificiel et très utopique. Il fallait être bien naïf pour croire que ces problèmes pourraient être résolus par la seule magie d'un été en Bleu[8].

Malgré la confusion et la frustration dues à l'issue tronquée de la rencontre, l'évacuation se fait dans le calme ; les spectateurs, le visage fermé, se rendent vers le parking et les gares RER voisines. À 23 heures, le stade est presque vide. La liesse fédératrice du 12 juillet 1998 semble à cet instant bien loin[9].

Les 80 000 spectateurs et les millions de téléspectateurs de TF1 sont stupéfaits. Alors qu'en moyenne un peu moins de 11 millions de personnes ont assisté au match devant leur écran de télévision, l'incident provoque un pic d'audience à plus de 14 millions (plus de 65 % de parts de marché). L'issue fâcheuse de cette rencontre suscite de nombreuses réactions dans l'opinion publique qui se divise autour de la question de l'immigration et de l'intégration. Publié ou pas, l'abondant courrier envoyé aux journaux et aux hebdomadaires atteste l'intérêt porté par les Français à cet événement qui nourrit le débat sur l'identité nationale[10].

Un acte spontané : bêtise et inconscience

L'important dispositif de sécurité n'a pas pu empêcher l'envahissement de la pelouse pourtant envisagé comme un risque majeur. Les stadiers

---

7. *AFP Infos* et *L'Équipe*, 9 octobre 2001.
8. Marcel Desailly, *Capitaine*, Paris, Stock, 2002.
9. *Le Monde*, 9 octobre 2001.
10. *L'Équipe magazine*, 13 octobre 2001.

ont été débordés par des dizaines de spectateurs qui ont enjambé les panneaux publicitaires et pénétré sur le terrain[11]. Le défaut d'organisation est une évidence. Comment a-t-on pu être aussi vulnérable pour un match aussi bien préparé par le service d'ordre ? Lionnel Luca, Jacques Myard et Jean-Jacques Guillet, députés du Rassemblement pour la France (RPF) dirigé par Charles Pasqua, demandent la création d'une commission d'enquête parlementaire sur l'origine des incidents du match, et notamment sur le caractère prémédité des faits et le sérieux en termes de sécurité[12]. De nombreux stadiers, recrutés à la dernière minute dans les zones sensibles, sont d'origine maghrébine et soupçonnés de connivence avec les « envahisseurs » du terrain. Selon Le Figaro magazine, certains stadiers auraient couru après les intrus en « s'amusant autant qu'eux[13] ».

Parti d'un jeu ou d'un défi, le déferlement des jeunes sur la pelouse, pacifique, apolitique, sans drapeau ni slogan, ne relève pas d'une opération préméditée. L'Équipe titre : « Quel dommage... », parlant de « bonheur interrompu[14] ». L'éditorial de Fabrice Jouhaud donne une explication claire de ces actes inconsidérés : « Inachevée à plus d'un titre, cette rencontre est venue rappeler le cynisme de l'époque, dont quelques excités se sont fait les porte-étendards. » Ces jeunes ne représentent rien, selon lui :

> Leur manifestation d'envahissement du terrain, défi immature et sans intérêt, n'est ni du nationalisme mal placé, ni de la provocation, ni une revendication, ni de la méchanceté, c'est juste un peu d'inconscience et beaucoup de bêtise. En se comportant comme cela, ils ont insulté les deux équipes. Ils ont surtout humilié beaucoup d'Algériens. Pour cela, il ne faudra jamais oublier que ces trublions sont une poignée insignifiante qui ne représente aucun peuple, aucune nation, aucune religion, aucun quartier[15].

---

11. Le Stade de France dispose bien de grilles qui peuvent être érigées entre la pelouse et les gradins, mais elles n'ont jamais été mises en place depuis l'inauguration de l'enceinte début 1998.
12. *AFP infos*, 12 octobre 2001.
13. Enquête de Pierre Fliex et François Dauré, « Les raisons d'un fiasco », *Le Figaro magazine*, 13 octobre 2001.
14. *L'Équipe*, 7 octobre 2001.
15. *Ibid.*

D'une certaine manière, les crétins ont eu raison des terroristes : le dispositif pour empêcher un drame majeur a été pris à revers par un infantile envahissement de la pelouse. Christine Clerc, dans *Marianne*, compare ces jeunes déboussolés à des « enfants du divorce » entre la « mère France » et le « père Algérie » [16].

Première à avoir déjoué la vigilance du service d'ordre, Sofia Benlemmane est chef d'agence France Télécom à Lyon et footballeuse de haut niveau. Elle n'a rien préparé et affirme avoir agi en raison de la mauvaise image donnée par l'Algérie sur le terrain. Soupçonnée d'avoir été pilotée par le gouvernement algérien, elle se justifie : « Je ne suis d'aucun parti, sauf celui de l'Algérie. » Elle dément la rumeur selon laquelle le consul d'Algérie à Lyon lui aurait demandé de brandir une affichette avec la mention « Vive Bouteflika ! » pour être filmée par la télévision et vue en Algérie. Les « envahisseurs » sont en majorité des adolescents d'origine algérienne résidant dans les banlieues proches de Paris ou de Lyon et munis de billets délivrés par des associations. Sofiane, 18 ans, né en Algérie, lycéen de la Porte de Vanves, explique les raisons de son geste : « Ce match, je ne l'ai jamais respecté. C'était Algérie contre le reste du monde. Zidane est algérien, mais il a trahi l'Algérie [17]. »

Dans les jours qui suivent, dix-sept personnes, majeures et mineures, sont interpellées et placées en garde à vue : l'une d'entre elles est condamnée dès le 8 octobre à un mois de prison ferme et un an d'interdiction de stade par la 17e chambre du tribunal correctionnel de Bobigny, pour avoir jeté des bouteilles de verre en direction de la tribune officielle [18]. Onze autres personnes sont condamnées par la même chambre en novembre à des peines fixées pour la plupart à sept mois de prison avec sursis, 1 500 euros d'amende et trois ans d'interdiction de stade pour « entrée sur aire de jeu troublant le déroulement d'une compétition sportive ».

« Sauvageons » et insécurité : les prémices de la campagne électorale

L'incident du Stade de France alimente le thème de l'insécurité, qui sera le principal sujet de la campagne électorale lors des élections

---

16. *Marianne*, 8 octobre 2001.
17. *Le Parisien*, 8 octobre 2001.
18. *AFP Infos*, 8 et 9 octobre 2001.

présidentielles de mai 2002. On prête volontiers à ces jeunes des intentions violentes. France Info et France Inter, dans les bulletins d'immédiat après-match, parlent des « Algériens » qui ont envahi la pelouse, puis se ravisent le lendemain en employant l'expression « jeunes de banlieue ». Cédant à l'exagération, les premiers commentaires font état de coups échangés alors qu'aucune agression n'a eu lieu et de l'« invasion d'une horde de plusieurs centaines de jeunes » alors que le nombre s'élève plutôt à plusieurs dizaines, autour d'une centaine.

L'amalgame avec les « sauvageons », terme désuet relancé en mars 1998 par Jean-Pierre Chevènement lorsqu'il était ministre de l'Intérieur pour qualifier les jeunes issus de l'immigration enclins à la violence[19], devient une évidence. C'est une aubaine pour les partisans de la répression. L'éditorialiste du *Figaro* Alain-Gérard Slama critique ainsi l'« idéologie sauvageonne » pour qualifier les jeunes des cités totalement « déculturés », sans aucun repère, sourds à l'autorité de l'État : « C'est une idéologie de la démagogie et de l'exclusion, induisant faiblesse, complaisance, laxisme et favorisant ordre multiculturel, refus d'autorité, discrimination positive, assistanat[20]. » L'émission hebdomadaire de France 2 « Stade 2 » consacre une bonne partie de l'émission à cette affaire. Le journaliste Francis Marotto s'insurge contre ces « dizaines de voyous qui gangrènent les spectacles sportifs et les autres, mettant en péril la sécurité ». Claude Askolovitch, dans *Le Nouvel Observateur*, regrette la « bévue des sauvageons[21] » qui ne savent plus « sur quelle identité danser » et ont « démoli » des années de travail.

Le président du groupe UDF à l'Assemblée nationale, Philippe Douste-Blazy, est applaudi sur les sièges du palais Bourbon lorsqu'il affirme la nécessité d'obliger toutes les personnes présentes sur le sol français à respecter « nos valeurs et nos lois » car, selon lui, « les zones de non-droit provoquent une radicalisation qui est le terreau du terrorisme[22] ».

---

19. Lors d'un conseil de sécurité intérieure présidé par Lionel Jospin, Jean-Pierre Chevènement présente une circulaire sur la lutte contre les violences urbaines visant à « apporter une réponse immédiate ». Dans une conférence de presse à l'issue du conseil, le ministre évoque les « petits sauvageons qui vivent dans le virtuel ».
20. *Le Figaro*, 15 octobre 2001.
21. *Le Nouvel Observateur*, 11 octobre 2001.
22. *AFP Infos*, 10 octobre 2001.

L'incident relève de la petite délinquance : certains considèrent cela comme une chance. Les choses auraient pu être bien plus graves, nous sommes loin des attentats islamistes tant redoutés. Car, entre islam radical et banlieue, des liens existent incontestablement : le cas de Khaled Kelkal, terroriste lyonnais, membre du Groupe islamiste armé (GIA), l'un des responsables présumés des attentats commis en France à l'été 1995, devenu ennemi public numéro un et abattu en septembre 1995, ou celui de Zacarias Moussaoui, français, né à Saint-Jean-de-Luz de parents marocains, ayant participé à la préparation des attentats du 11 Septembre, en sont la preuve. *Le Point*, enquêtant sur les faits, se demande si on n'a pas échappé au pire. La Direction de la surveillance du territoire (DST) a en effet capté une conversation téléphonique entre islamistes se persuadant de faire « quelque chose ». Les interpellations la veille du match l'ont peut-être empêché[23].

Le 19 octobre, lors du conseil fédéra de la FFF, Claude Simonet révèle qu'il a reçu par téléphone plusieurs alertes à la bombe à quelques minutes du coup d'envoi. Décidant seul de ne rien changer, rongé par l'inquiétude, il a ordonné durant toute la rencontre des rondes de chiens renifleurs dans les moindres recoins du Stade de France[24].

Marseillaise sifflée, patrie reniée : un fiasco pour l'intégration

Le mot qui revient le plus souvent pour qualifier ce rendez-vous manqué est « fiasco », imputable aux promoteurs de l'événement. Premier responsable, le gouvernement est accusé de laxisme et de démagogie, ayant favorisé la distribution de plusieurs milliers de billets gratuits par le biais des associations dans les cités, non sans arrière-pensées électoralistes. L'atonie de Lionel Jospin sur cette affaire lui aurait coûté sa présence au second tour de la présidentielle de 2002, selon certains observateurs *a posteriori*. Les propos d'un lecteur du *Figaro magazine*, Y. Valbrun, invitent à le croire : « Nous avons eu dans les tribunes des représentants du gouvernement qui acceptent sans broncher que l'hymne national soit bafoué, au vu de toute la France. Comment un futur candidat au poste suprême n'a-t-il pas eu le réflexe

---

23. *Le Point*, 12 octobre 2001.
24. *AFP Infos*, 19 octobre 2001.

de se lever et de partir[25] ? » Alain-Gérard Slama va plus loin en parlant d'un « État socialiste désemparé » face à *La Marseillaise* sifflée : « On s'étonne de voir prétendre avec une telle ardeur aux magistratures suprêmes des hommes et des femmes inspirés par une conception aussi médiocre du pouvoir[26]. » Malek Boutih exprime le même sentiment en dénonçant le paternalisme du gouvernement :

> On a distribué des billets gratuits à des gosses de banlieue, comme on donnait autrefois de la verroterie aux « sauvages » pour s'attirer leurs bonnes grâces. Mais la paix sociale, ça ne s'achète pas à coups de cadeaux ! [...] L'État s'est comporté en bonne sœur. Chargez Mère Teresa d'organiser un match de foot et de veiller à la sécurité, vous obtiendrez le même résultat[27].

Enrageant contre le « symbole profané », le président de SOS-Racisme pense à l'histoire : « Quand on voudra rappeler le Mondial 1998, ses images de fraternité, on nous opposera ce France-Algérie. » Julien Dray, député socialiste de l'Essonne, regrette la naïveté des siens, persuadé qu'il ne suffit pas de distribuer des places de stade pour « avoir la paix avec de petits imbéciles[28] ».

Autres responsables du fiasco, les médias : ils ont artificiellement insisté sur la réconciliation, réveillant sans le vouloir des plaies mal cicatrisées[29]. Le piège de la victoire lors de la Coupe du monde s'est refermé.

Les enfants d'immigrés enfin apparaissent comme des fauteurs de troubles. Le comportement des spectateurs du Stade de France est mal vécu par une partie de la classe politique et des intellectuels français : ne pas supporter l'équipe de France, pire, insulter son hymne et son drapeau est considéré comme inadmissible. Un sentiment de malaise s'empare de la vie publique au sujet de la sincérité de la fibre patriote des jeunes issus de l'immigration pourtant si bien révélée entre 1998 et 2000. L'opinion publique, sous l'impulsion des plus conservateurs, remet en cause l'intégration, et l'engouement de la Coupe du monde ne semble plus qu'une utopie.

---

25. *Le Figaro magazine*, 20 octobre 2001.
26. *Ibid.*
27. *Le Figaro*, 9 octobre 2001.
28. *AFP Infos*, 7 octobre 2001.
29. *L'Équipe*, 8 octobre 2001.

Discrète depuis juillet 1998 sur la question de l'immigration, l'extrême droite profite de l'incident du Stade de France pour reprendre sa vieille antienne sur le déclin de la France. Le Mouvement national républicain (MNR) tire volontiers les enseignements de l'incident. Jean-Yves Le Gallou déplore qu'il permette à « une certaine jeunesse arabo-islamique de donner libre cours à sa haine de la France [30] ». Bruno Mégret, déclaré candidat aux élections présidentielles, considère qu'il s'inscrit dans la même logique que les attentats du 11 Septembre : « Il est la preuve que l'immigration est un danger majeur car elle véhicule l'islam et l'islamisme. Le danger n'est pas à notre porte, il est dans notre maison [31]. » De son côté, le 14 novembre, Jean-Marie Le Pen décide d'annoncer symboliquement sa candidature aux élections présidentielles précisément devant le Stade de France, « parce qu'ici même, il y a quelques semaines, notre hymne national a été sifflé et nos couleurs salies ».

Dès l'issue du match, Philippe de Villiers, chef de file du Mouvement pour la France (MPF), réagit en critiquant la politique d'intégration : « Ces événements lamentables sont le signe de l'échec total de la soi-disant politique d'intégration menée dans nos banlieues. Même les stades ne sont plus épargnés par les gestes de provocation [32]. » Les limites de l'intégration des Beurs sont atteintes pour *Valeurs actuelles*. Paul-Marie Coûteaux, en souverainiste indigné, titre son éditorial : « Nous sommes tous hors jeu » et vitupère les jeunes issus de l'immigration : « Au "Nous sommes tous des Américains" qui fut le cri général des médias après le 11 Septembre correspond "Nous, nous sommes d'abord musulmans". » La conclusion est donc sans appel : « On parle d'intégration quand la société se désintègre [33]. » *Le Figaro* est convaincu que le divorce entre les jeunes des cités et la communauté nationale est consommé : « Trop d'enfants d'immigrés ne se sentent pas français ; pire, ils haïssent cette nation, dans laquelle ils ne se reconnaissent pas [34]. »

Jean-François Copé, maire RPR de Meaux, se sent mal à l'aise dans sa fonction d'élu : un drapeau algérien brandi à la mairie lors d'un mariage, le racisme à rebours dans les cités où l'on entend : « Français, cassez-vous ! » Le président de l'UDF, François Bayrou, a ressenti

---

30. *AFP infos*, 6 octobre 2001, 23 heures.
31. *Le Figaro*, 15 octobre 2001.
32. *AFP Infos*, 6 octobre 2001, 23 heures.
33. *Valeurs actuelles*, 19 octobre 2001.
34. *Le Figaro*, 8 octobre 2001.

« comme une blessure » quand *La Marseillaise* a été sifflée. Il estime que « lorsqu'un pays voit son hymne national sifflé sur son plus grand stade par ses jeunes, il y a du souci à se faire sur l'intégration[35] ». Même réaction d'Alain Juppé. La seule solution à ses yeux : une politique d'intégration plus efficace et ambitieuse.

Ce match test en dit davantage sur l'échec de la politique d'intégration que sur la qualité de la réconciliation franco-algérienne, le tout confirmé par les témoignages recueillis dans les banlieues, faisant d'Oussama Ben Laden le nouveau symbole des déshérités[36]. Inspirés par les incidents du 6 octobre, *Le Nouvel Observateur* et *L'Express* proposent des dossiers alarmants intitulés « Où vont les Beurs[37] ? » et « Intégration : où en sont les Beurs[38] ? » Ces enquêtes attestent que l'intégration, après l'euphorie de 1998, est une valeur déclinante en cet automne 2001, selon de nombreux observateurs.

Dédramatiser et comprendre

Face au malaise, le gouvernement et plusieurs personnalités tentent de relativiser les incidents afin d'éviter des amalgames trop rapides. Pour ceux qui refusent de céder au pessimisme, l'intégration n'est pas en danger.

Lionel Jospin se montre d'emblée rassurant. Dans le salon d'honneur du Stade de France après le match, il confie à quelques proches : « Bon, allez, des envahissements de terrain il y en a eu, il y en aura encore ; on ne va pas en faire tout un fromage. » Le 11 octobre, de Perpignan, où il participe à un sommet franco-espagnol, le Premier ministre s'emploie à faire taire les nombreuses critiques. En évitant de « forcer le trait » de *La Marseillaise* sifflée, il faut selon lui refuser l'amalgame, refuser le « choc des civilisations » et refuser le conflit avec le « monde arabo-musulman[39] ».

Lors d'une conférence de presse, le lendemain des faits, Marie-George Buffet concède que la fête a été gâchée, mais que cela ne constitue pas un drame pour autant. Elle s'interroge même sur le sens

---

35. *AFP Infos*, 10 octobre 2001.
36. *Le Figaro*, 13 octobre 2001.
37. *Le Nouvel Observateur*, 1er novembre 2001.
38. *L'Express*, 8 novembre 2001.
39. *AFP Infos*, 11 octobre 2001.

des sifflets : « Je vis cela comme un échec et quand j'ai entendu *La Marseillaise* sifflée, cela m'a fait penser à l'intégration. Pourquoi les jeunes ou moins jeunes ont éprouvé le besoin de siffler ? Cela ouvre un débat plus large [40]. » Interrogée dans *L'Équipe*, la ministre considère que les jeunes cherchent à exprimer un malaise [41]. Bernard Kouchner, ministre délégué à la Santé, sans nier la gravité des faits, estime qu'un peu de communautarisme intégré à la République française n'aurait pas fait de mal : « On n'a pas assez proposé à ces jeunes de représenter ce qu'ils étaient et ce qu'ils sont, c'est-à-dire un apport formidable à notre culture française [42]. » Claude Cabanes dans *L'Humanité* a la même appréciation : trop de frustrations, de discriminations, de suspicions, d'exclusions tiennent à l'écart de la communauté nationale ceux qui ont acquis la qualité de citoyens en naissant sur le sol français. Ils n'ont que le tort d'être d'origine algérienne, « et le mal qui les ronge est si grand qu'ils sifflent un des leurs, et des plus prestigieux, quand il porte le maillot bleu [43] ».

Bernard Stasi, ancien ministre et médiateur de la République de 1998 à 2004, souhaitant dédramatiser les incidents, livre une analyse lucide :

> J'ai l'intime conviction que beaucoup de ceux qui, samedi soir, ont sifflé *La Marseillaise* et beaucoup de ces dizaines d'hurluberlus qui ont envahi la pelouse étaient sur les Champs-Élysées le 12 juillet 1998 pour fêter la victoire de la France, un drapeau algérien d'une main et un drapeau français de l'autre. Et si l'équipe de France gagne la prochaine Coupe du monde, ils feront à nouveau joyeusement la fête [44].

Encore plus compréhensif, Pierre-Yves Le Priol, dans sa chronique « Télévision » pour *La Croix*, parle d'un « excès d'enthousiasme » : il retient l'image d'un adolescent rieur et inoffensif, les yeux levés au ciel. Les incidents apparaissent alors comme un moment de pure liberté pour des jeunes aux existences trop contraintes, comme un trop-plein d'euphorie [45].

---

40. *L'Humanité*, 8 octobre 2001.
41. *L'Équipe*, 9 octobre 2001.
42. *AFP Infos*, 14 octobre 2001, interrogé au Grand Jury RTL-LCI-*Le Monde*.
43. *L'Humanité*, 8 octobre 2001.
44. *Libération*, 9 octobre 2001.
45. *La Croix*, 8 octobre 2001.

Les représentants de l'islam en France apportent des éclairages apaisants dans la presse. Soheib Bencheikh, grand mufti de Marseille, tout en exprimant son regret et sa désolation, explique que l'« ambiguïté sensationnelle » dans laquelle se trouvent les jeunes, ce « va-et-vient des sentiments » entre l'équipe de France de l'intégration et l'équipe d'Algérie de leurs racines ne peut que vivifier leur citoyenneté[46]. Khalil Merroun, recteur de la plus grande mosquée de France, à Courcouronnes (Essonne), refuse de prendre la provocation au premier degré : « Les jeunes en sifflant leurs héros se sont sifflés eux-mêmes : tous sont nés en France et sont français. Cela montre combien ils sont en porte-à-faux et combien il est urgent de leur apporter une réponse[47]. »

Le fait que des générations issues de l'immigration hurlent : « Algérie ! Algérie ! » met en lumière l'exacerbation du phénomène de double appartenance. Dans sa majorité, la jeunesse beur revendique une double culture et entend assumer à la fois ses origines et son appartenance à la nation française, ce qui renvoie à la question de la diversité culturelle et au phénomène de métissage. Azouz Begag et le père Christian Delorme livrent une analyse dans ce sens :

> On s'en souviendra, de cette minute-là ! On est abasourdi par l'offense. Comment ont-ils osé, alors que c'était le match de la réconciliation ? Ils ont interrompu la fête prématurément, les sauvageons, les énergumènes, les « cailleras ». Et voilà les banlieues qui s'invitent au débat de société, au centre de l'arène, sans prévenir, sans se soucier de l'extrême délicatesse du contexte international, de la pression qui règne sur le monde arabo-musulman.

Une trop forte charge symbolique a crispé d'emblée la rencontre. Le « match de la réconciliation » n'a pas semblé concerner les jeunes « envahisseurs ». Pour eux, ce match était davantage une occasion de fête, d'autant que, selon Azouz Begag et Christian Delorme :

> Ils n'avaient ce 6 octobre plus peur d'affirmer leur origine algérienne, plus honte de prononcer le mot « Algérien » et brandissaient au milieu de l'arène l'étendard de cette fierté reconquise. Franco-algériens, ils disaient aussi leur souffrance d'avoir été si

---

46. *L'Humanité*, 8 octobre 2001.
47. *Le Figaro*, 18 octobre 2001.

longtemps cassés entre leurs deux morceaux identitaires, d'avoir été contraints à renier un bout d'eux-mêmes, si souvent caricaturés à la rubrique des faits divers des banlieues à risque [48].

Déjà cornélien pour le professionnel Zidane, le choix est encore plus déchirant pour les anonymes issus de plus d'un demi-siècle d'immigration algérienne : « France-Algérie, c'était le match qui opposait le pays de leurs parents au leur. Un dilemme impossible à arbitrer dont affectivement personne ne peut sortir vainqueur [49]. »

Quel sens donner au scénario de ce France-Algérie [50] ? Si l'identité nationale reste agitée par le football, les temps ne sont plus roses comme en 1998 et en 2000, le pessimisme est de retour, présageant le « séisme » du 21 avril 2002 [51]. Utilisé positivement pour dire la réalité de l'intégration des jeunes issus de l'immigration et faire accepter le processus de métissage de la société française par le biais d'une acceptation de la diversité culturelle, le football sert ici surtout les inquiets, les soucieux de préserver la France du déclin et les partisans d'une identité française peu ouverte aux apports extérieurs. Après avoir largement cautionné les discours sur la France « black, blanc, beur », l'opinion, gagnée par une psychose de l'insécurité qui, après le 11 Septembre, bascule dans l'islamophobie [52], doute désormais des capacités d'intégration des jeunes issus de l'immigration. Dans un sondage Ipsos effectué le 12 et 13 octobre, 56 % des Français jugent que les événements du Stade de France sont « des incidents graves car ils témoignent des difficultés d'intégration d'une partie de la population française d'origine musulmane [53] ».

Le débat politique autour du match se poursuit jusqu'à l'élection présidentielle, les médias n'hésitant pas à revenir sur cette triste soirée. *L'Express* propose par exemple en février 2002 une « contre-enquête sur

48. *Le Monde*, 13 octobre 2001.
49. *Le Monde*, 26 octobre 2001.
50. Éric Taïeb, « France-Algérie de football, évitons les conclusions trop rapides », *Ville-École-Intégration*, n° 135, décembre 2003.
51. « France-Algérie, fini les enfantillages », *Panoramiques*, n° 62, 1er trimestre 2003.
52. Voir Vincent Geisser, *La Nouvelle Islamophobie*, Paris, La Découverte, 2003.
53. *Le Journal du dimanche*, 14 octobre 2001, sondage réalisé les 12 et 13 octobre 2001 sur un échantillon de 948 personnes selon la méthode des quotas.

un fiasco[54] ». La rencontre devient un outil pour les joutes électorales ; un meeting de l'opposition s'achève, le 22 janvier 2002, à Maisons-Alfort, dans le Val-de-Marne, par un clin d'œil des militants du RPR au moment de chanter *La Marseillaise* : « Ici, on ne la siffle pas, on la chante. » Une fois réélu, Jacques Chirac se donne pour première mission de faire respecter les symboles de la République[55]. Et lorsque *La Marseillaise* est à nouveau sifflée le 11 mai 2002, lors de la finale de Coupe de France Lorient-Bastia, par des supporters corses, le président, dans une colère noire, quitte brutalement la tribune sous le regard des caméras de TF1. Il ne regagne sa place qu'au prix de plates excuses de Claude Simonet et du président bastiais, après un entretien « à chaud » devant les téléspectateurs au cours duquel le chef de l'État déclare ne pas souhaiter revivre les incidents du 6 octobre.

Les promoteurs de ce France-Algérie ont involontairement mis à l'épreuve certains jeunes issus de l'immigration. Car si, depuis 1998, tous les enfants de France, y compris des cités, se sont identifiés au Onze de France métissé, c'est parce qu'il n'y a pas eu à faire de choix symbolique, la France n'ayant pas été opposée à une équipe du Maghreb. Or, avec ce match, on exige d'eux un choix : France ou Algérie. Sans le savoir, les organisateurs ont échafaudé un système expérimental explosif devant les caméras de télévision : les jeunes des cités sont sommés de s'exprimer sur leur construction identitaire, d'effectuer un choix impossible et sans raison entre le monde du « dedans » et le monde du « dehors ». Plutôt qu'à l'ouverture et à l'amitié, ce match pousse insidieusement à l'exclusion : choisir ma terre natale (la France), contre celle de mes parents (l'Algérie), au nom d'un idéal laïque et républicain rigidifié au point d'être bloqué. La société française, apeurée par l'altérité et ses expressions culturelles, exige des enfants de l'immigration un choix absurde en forme d'exclusion.

France-Algérie sonne la fin de l'épisode festif lié à une équipe de France victorieuse et par conséquent vue sous le bon côté de sa pluralité. La rencontre « amicale » du 6 octobre marque un tournant qui a plus de poids dans les représentations que dans la réalité de l'intégration, laquelle, ne se modifiant pas en si peu de temps, suit son évolution amorcée au début des années 1980, sur le temps long. Par sa vacuité,

54. *L'Express*, 14 février 2002.
55. *Le Monde*, 14 mai 2002.

l'incident du Stade de France permet des lectures différentes, selon l'humeur ou la stratégie du moment. Car, sociologiquement, les faits ne sont qu'un jalon confirmant la nature d'un processus d'intégration qui passe par le conflit réel ou symbolique. Décidément, rien ne se termine entre la France et l'Algérie. Ce match révélateur a offert aux jeunes issus de l'immigration la possibilité de « retourner » dans le pays de leurs parents. Plus que quiconque et sans qu'ils en aient pleinement conscience, ils subissent les conséquences d'une histoire commune mal assumée. Ils sont les descendants des 50 000 morts pour la France lors de deux conflits mondiaux et des centaines de victimes de la répression du 17 octobre 1961. Annoncée avec une abondance de bons sentiments, la rencontre n'a fait que rendre encore un peu plus opaques les relations entre la France et l'Algérie. Pour ces deux pays, c'est une « histoire sans fin[56] ».

Mécontente de l'issue singulière de la rencontre, la Fifa diligente une enquête sur les incidents ; aussitôt des rumeurs évoquent la suspension du Stade de France. Mais la commission de discipline de la Fifa statue en n'infligeant qu'une amende de 84 400 euros à la Fédération française, jugée responsable des débordements, assortie d'une mise en garde contre la répétition de tels incidents avec une période probatoire de deux ans.

---

56. *France Football*, 9 octobre 2001.

Dans la perspective de la Coupe du monde en Corée et au Japon, l'équipe de France, forte de son statut de championne du monde et de championne d'Europe, fait figure de favorite. Cette équipe, toujours organisée autour des cadres de la génération de 1996-1998, est désormais à l'unisson avec l'opinion française, habituée au succès.

En mai 2002, à l'orée de cette nouvelle Coupe du monde, le journaliste Jacques Buob, rédacteur en chef au *Monde*, note l'évolution de la société française « d'un Mondial à l'autre ». Les événements de 1998 sont déjà l'objet d'une mise en récit historique :

> Plus de quarante-six mois ont passé. Sur les Champs-Élysées, le 12 juillet 1998, une foule innombrable se pressait pour fêter la victoire. Une foule « black, blanc, beur », comme on disait, pour célébrer un triomphe doublement tricolore : celui de l'équipe de France de football. Les visages des champions du monde s'inscrivaient en surimpression sur les reliefs de *La Marseillaise* de Rude, au piédroit de l'Arc de Triomphe. La France réunissait ce soir-là, en une communion des couleurs et des accents, des villes, des campagnes et des banlieues, des nantis et des laissés-pour-compte, des hommes, des femmes et des enfants, autour de drapeaux bleu, blanc, rouge agités dans une exubérance et une insouciance dont on ne pensait pas le pays capable. La troisième cohabitation en était à ses débuts, les haines n'étaient pas encore recuites, la courbe du chômage s'infléchissait dans le bon sens, la reprise économique parfumait l'été et on vit dans cette équipe multiethnique l'exemple même de la réussite du modèle français d'intégration. Lionel Jospin comme Jacques Chirac empochaient les dividendes. C'était bien sûr aller vite en besogne.

Au terme de ce portrait idyllique, le journaliste ramène le lecteur aux réalités du moment, bien différentes selon lui : « Quatre ans ont passé et on sait ce qu'il est advenu : la gauche plurielle autodétruite, Le Pen devant Jospin, et des *flashs-balls* pour mater les sauvageons. Ajoutons que désormais on siffle *La Marseillaise* au Stade de France, ces soirs-là, le mal nommé. » La question se pose alors :

> Que reste-t-il de tant d'amour ? [...] Le Mondial 1998 a fini d'installer le football dans la sphère médiatique. Le discours intellectuel notamment, longtemps imperméable aux trajectoires

vulgaires du ballon, s'enflamma soudain. De prestigieux auteurs ont cherché à saisir les raisons de l'universalité d'un sport capable d'attirer tant de passions au cœur de civilisations aussi éloignées par la géographie que par la culture. Ils se sont donc lâchés avec entrain, de Morin à Finkielkraut, sans compter quelques solides soixante-huitards, Cohn-Bendit, Le Bris ou Castro [1].

Parler de « parenthèse enchantée », en référence à un film de Michel Spinosa sorti en 2000 relatant les quelques années fastes d'un groupe de jeunes au début des années 1970, donne l'impression d'une période révolue. Effectivement, les temps ont changé, avec l'essoufflement de la gauche plurielle, la vie quotidienne dans les banlieues qui n'évolue pas, les incidents du Stade de France et surtout le choc du premier tour de l'élection présidentielle ; le 21 avril 2002, à la surprise générale, Jean-Marie Le Pen se retrouve au second tour face à Jacques Chirac. L'idéal d'une France sans racisme, caressé en 1998, a fait long feu. L'heure est au débat sur l'insécurité, à une xénophobie ordinaire assumée par une partie des Français.

Les Bleus face au « séisme » du 21 avril

Pour répondre aux inquiétudes des antifascistes à la suite des résultats du premier tour de l'élection présidentielle, la majeure partie du « mouvement sportif » se mobilise contre Jean-Marie Le Pen. À l'instar de différents milieux professionnels, intellectuels et politiques, 294 athlètes, toutes disciplines confondues, signent un « appel à tous les sportifs » demandant d'infliger un « carton rouge à l'extrême droite » :

> Le 12 juillet 1998, la France « black, blanc, beur » explose de joie et pleure d'émotion. L'équipe de France de football vient de remporter la Coupe du monde et notre pays s'estime riche de l'origine différente de ses habitants et d'une intégration réussie. Le 21 avril 2002, la France des droits de l'homme est triste. L'extrême droite est présente au second tour de l'élection présidentielle et près de 5,5 millions de Français ont voté pour les deux partis qualifiés par le monde entier de xénophobes et racistes [...]. Nous, sportifs

1. *Le Monde*, 30 mai 2002.

de tous niveaux, de tous âges, de toutes régions, de toutes origines, crions haut et fort que le racisme et la xénophobie portés par l'extrême droite ne passeront pas et ne piétineront pas les valeurs universelles de liberté d'égalité et de fraternité[2].

Mais cet appel, aucun joueur de l'équipe de France de football ne le signe. Malgré l'épisode de 1996, le groupe, pourtant sollicité, tergiverse, se sentant peu concerné par l'enjeu électoral. Un comble pour l'équipe symbole du métissage, d'autant que le texte fait explicitement référence à l'« effet Coupe du monde » comme argument de taille.

Une initiative isolée des Bleus est cependant mise à l'étude sous l'impulsion du capitaine Marcel Desailly, convaincu que « la force de l'équipe de France, c'est son côté multiracial ». Sur son site Internet, le défenseur entend montrer la voie à ses coéquipiers : « Personnellement, je souhaite que le 5 mai les Français prennent leurs responsabilités en votant contre Le Pen. C'est la démocratie qui est en jeu. Le Pen n'a pas changé, c'est un être agressif, intolérant, à l'opposé des valeurs que je défends. » Lilian Thuram, Willy Sagnol, Christian Karembeu, Vikash Dhorasoo et Bernard Lama approuvent leur capitaine et soutiennent l'idée d'une déclaration collective. Zinédine Zidane a aussi exprimé clairement son sentiment, le 29 avril, lors d'une conférence de presse : « Il faut dire aux gens qu'ils votent. C'est très important, et surtout qu'ils pensent aux conséquences de voter pour un parti qui ne correspond pas du tout aux valeurs de la France. » Son coéquipier du Real Madrid, Claude Makelele, est convaincu que le premier tour a donné une mauvaise image de son pays : « La France a toujours été solidaire entre les couleurs. Noirs, Blancs, Jaunes, il ne faut pas tout gâcher. » En revanche, Franck Lebœuf, Fabien Barthez, Thierry Henry ou David Trezeguet refusent de s'engager, tout comme Christophe Dugarry, même pas inscrit sur les listes électorales et qui renvoie dos à dos les deux candidats : « Aucun ne m'inspire, aucun ne me donne envie de voter. »

Finalement, avec beaucoup de retard et non sans quelques frictions internes, les Bleus adoptent une position collective condamnant le racisme et l'exclusion le 3 mai, à seulement deux jours du scrutin pour le second tour. Sans faire mention ni de l'élection ni des candidats en lice, les Bleus font simplement savoir par l'intermédiaire de leur capitaine, Marcel Desailly, qu'ils condamnent, jugent intolérable et

---

2. *Le Monde*, 3 mai 2002.

indéfendable la « résurgence d'attitudes dangereuses pour la démocratie comme pour les libertés, particulièrement dans la France multiethnique et multiculturelle et justement riche de ses diversités [3] ». La position anti-raciste des joueurs suscite une réaction virulente de Jean-Marie Le Pen, considérant que les footballeurs se font manipuler par des gens qui se servent de leur notoriété. Mais l'opposant à Jacques Chirac ne s'inquiète guère : « Leur voix n'a pas plus d'importance que celle du dernier de mes électeurs. »

La manifestation du 1er Mai, à quatre jours de l'élection, est l'occasion de renouer dans les rues avec l'élan de juillet 1998 et de réaffirmer, dans un registre et dans des circonstances plus graves, l'attachement du peuple à une conception fraternelle et tolérante de la collectivité. Le maillot bleu est arboré lors de ces manifestations comme une façon de se réapproprier le drapeau français et d'exprimer une forme de nostalgie des moments de liesse vécus quatre ans plus tôt.

Du cauchemar politique au cauchemar sportif : la France éliminée

Après la réélection de Jacques Chirac, le 5 mai, avec 82 % des voix, la vie politique s'apaise, laissant place à la Coupe du monde. Le statut de favoris n'effraie ni les Tricolores ni leurs supporters. La confiance règne jusqu'au début du tournoi.

Pourtant rien ne se passe comme prévu : la surprenante défaite lors du match d'ouverture des Bleus le 31 mai à Séoul contre le Sénégal (0-1) suscite un malaise dont personne ne se remettra. La blessure de Zinédine Zidane, la fatigue des joueurs et la malchance n'expliquent pas tout. Loin d'être aussi passionnelle que France-Algérie, malgré un enjeu sportif de la plus haute importance, la rencontre provoque néanmoins une mobilisation des Africains de France. Les enfants d'immigrés sénégalais sont confrontés au même choix que les enfants d'Algériens huit mois plus tôt. En outre, la sélection sénégalaise est composée d'une majorité de joueurs évoluant dans le Championnat de France, bien connus du public. Mais tout se passe dans une ambiance plutôt festive. Doudou Sala Diop, l'ambassadeur du Sénégal à Paris, donne une réception en l'honneur de ce match dans un hôtel

---

3. *Le Monde*, 5-6 mai 2002.

particulier sur les hauteurs de Passy, soucieux de mettre en évidence l'histoire croisée entre les deux pays.

Au quartier de la Défense, en début d'après-midi, 3 000 personnes assistent médusées à la défaite de l'équipe de France, tandis que les supporters sénégalais fêtent la victoire avec ferveur. L'enjeu et l'effet de surprise ont éclipsé les données identitaires de la rencontre, d'autant que le Sénégal, entraîné par le Français Bruno Metsu, n'occupe pas la même place que l'Algérie dans la sensibilité collective hexagonale.

Un lecteur de *Libération*, représentatif d'une bonne partie de l'opinion publique, fait le lien « d'une défaite à l'autre » entre la désillusion du match contre le Sénégal et celle du 21 avril, convaincu que la présence du Front national au second tour de l'élection présidentielle a eu des répercussions sur le moral du Onze de France constitué de nombreux joueurs issus de l'immigration : « Gagner une Coupe du monde pour qui et pour quoi ? En 1998, la victoire de l'équipe de France inaugurait une nouvelle ère d'espoir et faisait souffler sur le pays un vent d'enthousiasme et d'optimisme sans précédent. La France "black, blanc, beur" » communiait dans un élan de fraternité et de joie. Mais au final, qu'avons-nous eu ? Le Pen à 20 %[4] ! » Approfondissant sa réflexion, ce lecteur se demande si cette défaite n'est pas un « juste retour des choses », une sanction inconsciente infligée par les joueurs aux Français pour leur dire qu'ils ne méritent peut-être pas leur équipe et leur titre de champion du monde. L'éditorial de *L'Équipe magazine* intitulé « Chacun son premier tour » propose la même comparaison, mettant en évidence que, dans les deux cas, rien n'a été prévu : d'un côté, tous les observateurs se sont préparés pour un second tour opposant Jacques Chirac à Lionel Jospin, et de l'autre, dans l'équipe de France, depuis 1998, l'état de grâce semble inflexible. Ainsi, comme les hommes politiques, déconnectés de la réalité, les footballeurs français sont « dans leur bulle[5] ».

Après avoir obtenu un terne match nul contre l'Uruguay (0-0) le 6 juin à Busan, l'équipe de France est éliminée à Incheon contre le Danemark (0-2), le 11 juin. Les Bleus quittent la Corée du Sud sans gloire et sans avoir pu marquer le moindre but. À l'issue de ce match, des sifflets retentissent sur la place de l'Hôtel-de-Ville à Paris : 5 000 supporters, massés sur le parvis au pied de l'écran géant, assistent à la défaite,

---

4. *Libération*, 3 juin 2002.
5. *L'Équipe magazine*, 15 juin 2002.

incrédules. Le Mondial s'arrête après trois matchs poussifs, voire pénibles. L'ambiance devient délétère à l'issue de la rencontre : certains supporters s'en prennent même aux supporters sénégalais qui se réjouissent par ailleurs de la qualification de leur équipe face à l'Uruguay (3-3) : des injures fusent, parfois teintées de racisme[6].

Le lendemain, à Roissy, plusieurs centaines de personnes souhaitent malgré tout accueillir les joueurs. Mais aucun de ces derniers n'a voulu s'adresser aux supporters[7]. Zinédine Zidane, le plus attendu, s'engouffre dans une voiture sans adresser le moindre geste à ses inconditionnels. À la déception succède une rancœur partagée par les Français. *L'Équipe* évoque ainsi un « retour perdant[8] » qui aggrave davantage le malaise ambiant. En conséquence, les discours sur l'intégration s'assombrissent. *L'Équipe* titre ironiquement : « I will not survive[9] », et l'éditorial de Didier Braun essaie de relativiser en faisant appel à l'histoire, mais le ton est grave : « Les grandes équipes meurent aussi[10]. » L'élimination prématurée provoque un énorme manque à gagner pour ceux qui ont investi dans les Bleus comme TF1, Adidas ou SFR. L'immense banderole « Tous ensemble » placée sur le mur de l'immeuble moderne de TF1 avec en fond la photographie de Zinédine Zidane est décrochée plus tôt que prévu par la direction de la chaîne[11].

Désemparé, Magyd Cherfi, chanteur du groupe Zebda et amateur de football, ne voit plus la France comme une terre de brassage et entend se faire le porte-parole d'une partie des Français : « Qui a dit que la France était métisse ? Dans un rêve socialiste peut-être ? La France n'est métisse en rien. Dans le team tricolore, il n'y a pas plus de Beurs que de Kanaks ou de Blacks, mais des mercenaires de la thune[12]. » Les frontières du racisme sont dès lors très proches : « La France aime Zizou, mais pas les Arabes ; aime Khaled, mais pas les Algériens ; aime Zebda, mais pas les Beurs... » Un autre reproche porte sur la déficience citoyenne des joueurs : « Qui a vu un footballeur marcher dans les rues un 1er Mai ? Qui a vu un footballeur soutenir quelque mouvement de chômeurs que ce soit ? Qui a vu Anelka venir rendre hommage aux Beurs tombés sous

---

6. *Le Figaro*, 12 juin 2002.
7. *Le Monde*, 14 juin 2002.
8. *L'Équipe*, 13 juin 2002.
9. *L'Équipe*, 12 juin 2002.
10. *L'Équipe*, 13 juin 2002.
11. *Le Figaro magazine*, 15 juin 2002
12. Entretien publié dans *L'Humanité*, 8 juin 2002.

d'injustes balles policières ? Qui a vu Zizou sur le pont du Carrousel venir rendre hommage au jeune Marocain noyé après s'être fait lyncher par quelques têtes pleines d'eau du Front national. » Magyd Cherfi critique l'absence des footballeurs de la sélection dans les batailles ingrates, dans la défense des sans-abri, des sans-papiers, contre la double peine[13] :

> Non, la France n'est pas plus métissée qu'une valeur républicaine en banlieue. Je souris quand on évoque l'équipe de France comme étant l'image d'une société ouverte, plurielle et gagnante. Cette équipe de France est hermétique, individualiste et profiteuse. [...] Le plus tragique, c'est que tous ces footballeurs viennent de familles modestes, ce sont des fils d'immigrés ou des fils d'ouvriers et ils nourrissent à la puissance décuplée un système qui a fait de leurs parents des esclaves.

À l'opposé de cette sensibilité politique, Alain-Gérard Slama exprime néanmoins le même point de vue : « Quand les Bleus ont remporté la Coupe du monde, on a cru reconnaître dans le sport le ciment de l'identité nationale, l'espoir d'intégration des minorités, le modèle du spectacle qui favorise l'élévation du caractère[14]. » Mais selon l'éditorialiste du *Figaro*, il s'agissait d'un leurre. Le psychanalyste Claude Landman, vice-président de l'Association freudienne, préfère parler de « déception amoureuse » dans la mesure où cette équipe n'incarne plus la dynamique « black, blanc, beur ». Au contraire, désormais, elle se limite plutôt à une somme d'individualités motivées par le profit et marquées par l'égoïsme : « C'est une équipe d'individualités paraissant incarner davantage la réussite de sujets individuels que celle d'une intégration dans une équipe qui serait multiculturelle[15]. »

Jean-Marie Brohm et Marc Perelman, dans une fameuse tribune du *Monde* intitulée « Football, de l'extase au cauchemar », utilisent l'échec de la sélection pour donner libre cours à leurs théories antisportives et prendre une belle revanche :

---

13. Sous la double peine, un étranger en situation régulière commettant un crime ou un délit peut être condamné à la prison ou à la réclusion puis à l'interdiction du territoire français, entraînant de plein droit sa reconduite à la frontière après sa détention.
14. *Le Figaro*, 3 juin 2002.
15. *AFP Infos*, 11 juin 2002.

Il y a quatre ans, c'était l'extase historique de la victoire [...]. La jeunesse totalement identifiée à l'équipe « black, blanc, beur » s'imaginait représenter la France multiculturelle... En 1998, on nous disait que, grâce à cette équipe, l'intégration était en marche : parmi les intellectuels qui avaient peu ou prou soutenu la gauche plurielle, nombreux furent ceux qui, y compris à l'extrême gauche, se laissèrent prendre à l'illusion lyrique d'une France débarrassée du racisme, de la xénophobie, grâce à l'unité nationale retrouvée [16].

Quatre années ont passé et toutes les analyses de la gauche plurielle se sont effondrées, à l'unisson de la défaite historique de l'équipe de France, selon Jean-Marie Brohm et Marc Perelman. Ils notent d'inquiétantes similitudes entre le regain pour le football et la montée du Front national qui aurait repris à son compte la victoire de 1998, démontrant que le football sert avant tout le fascisme et le racisme : « Esprit de combat, propagande chauvine exacerbée, culte de l'uniforme... Le football a donc épaulé le Front national, comme le Front national s'est appuyé sur les valeurs réelles du football. » Les rêves brisés de la France en bleu risquent de se transformer en cauchemar sous la forme d'une « lepénisation footballistique rampante ». Le propos de Jean-Yves Le Gallou nourrit cette analyse lorsque celui-ci considère que la contre-performance « humiliante et ridicule » de l'équipe de France « sonne le glas de la propagande immigrationniste qui s'était déchaînée lors de la Coupe du monde 1998 [17] ».

Déçus et sans énergie, ceux qui avaient salué avec enthousiasme les succès des joueurs d'Aimé Jacquet n'ont pas le cœur au débat.

Que reste-il de nos amours ?

Face au pessimisme ambiant, les quelques réactions implorent : « Ne brûlons pas le passé ! » La Coupe du monde 1998 apparaît comme un moment de bonheur enfui, et, dans ce sens, L'Humanité, pose une interrogation lourde de doutes : « Que reste-t-il de 1998 [18] ? » Bernard Stasi,

---

16. *Le Monde*, 18 juin 2002.
17. *Ibid.*
18. *L'Humanité*, 28 juin 2002.

désormais président d'une Commission de réflexion sur la laïcité qui a rendu son rapport en décembre 2003, notamment sur la question du port du voile, estime dans *Libération* que le cuisant échec de l'équipe de France ne doit pas faire oublier le « formidable élan » insufflé au pays en 1998 :

> Nous ne pouvons pas oublier cette joie de tout un peuple, il y a quatre ans, cette joie qui réunissait la France d'en haut et la France d'en bas sur les Champs-Élysées, mais aussi dans nos villes et villages [...]. Nous ne pouvons pas oublier cette image que la France a alors donnée d'elle-même, l'image d'un pays riche de sa diversité, de son pluralisme ethnique. Image qui a beaucoup contribué depuis 1998 à la rendre plus sympathique dans de nombreux pays et à faire en sorte qu'elle soit souvent considérée comme un exemple en matière d'intégration [19].

À propos des émeutes de 2005, les médias ont apporté un démenti à cette affirmation.

La nostalgie de 1998 est une manière de ne pas oublier un événement qui a marqué une génération quelque peu déboussolée. Claude Askolovitch constate dans *Le Nouvel Observateur* que le rêve est passé : « Il va falloir s'y faire, ce sera difficile. Nous sommes revenus au monde réel, il va falloir assumer, nous avons égaré le sens commun dans une trop belle orgie en 1998 [20]. » « La fin d'une histoire », titre à la une *L'Équipe* : « Cela n'efface évidemment pas les années formidables que ce groupe a fait passer au sport français, ni ne gomme aucun des bons souvenirs que tous les amateurs de foot doivent à cette génération [21]. » Didier Braun incite les lecteurs à garder le sourire en relativisant les faits :

> À ceux qui font une gueule d'enterrement depuis hier [...] ; à ceux qui croyaient que le football était né en 1998 et que c'était un sport où, à la fin, les Français gagnaient, à ceux qui hurlent avec les loups, à ceux qui ont déjà sorti les scies, à ceux qui en mai 1998, dans les repas de famille, tapaient infiniment plus dur sur Aimé Jacquet que *L'Équipe* ne le fit jamais et qui le 12 juillet

---

19. *Libération*, 13 juin 2002.
20. *Le Nouvel Observateur*, 13 juin 2002.
21. *L'Équipe*, 12 juin 2002.

défilaient sur les Champs-Élysées, comme ils l'auraient sans doute fait au mois d'août 1944 [...] ; à ceux qui ont l'habitude de retourner leur veste au sport comme ailleurs et qui le font sans vergogne [...], nous disons simplement « souriez ! » car le football n'est pas mort, comme il n'est pas né en 1998 [22].

Après le terne Euro 2004 au Portugal, la brillante épopée des Bleus lors de la Coupe du monde 2006 redonne aux Français l'occasion de faire la fête. Le peuple est dans la rue à chaque victoire de l'équipe de France à partir des huitièmes de finale contre l'Espagne (3-1), mais l'accent n'est plus mis sur l'équipe « black, blanc, beur ». Face à ce constat, deux analyses sont possibles. D'une part, en 1998, l'intégration se posait avec acuité dans une société française perturbée par le débat sur l'immigration. Les Bleus ont servi de révélateur d'une réalité encore enfouie et peu admise. Huit ans plus tard, le processus d'intégration s'est poursuivi et le débat a évolué sur des questions plus précises comme la religion ou l'égalité des chances. On n'évoquerait donc plus l'équipe « black, blanc, beur » parce qu'il s'agit d'une évidence pour tous. Seconde analyse, au contraire, la diversité n'est pas un argument en 2006 dans la mesure où l'intégration est en panne. Depuis 1998, la situation s'est aggravée dans les banlieues. Pour preuve, nombre d'observateurs ont noté la présence de casseurs dans les mouvements de liesse de juin 2006 qui rendent dangereuse l'expression de la joie populaire dans les rues des grandes villes françaises. Rien n'est plus comme avant et la Coupe du monde 1998 restera un moment festif exceptionnel et révolu.

---

22. *Ibid.*

CONCLUSION

Au terme de l'étude du cas français, il apparaît que le football, vecteur d'identité[1], a acquis une place prépondérante dans l'espace public au tournant du siècle. Impossible désormais d'ignorer que les enjeux du ballon rond constituent un prisme fécond pour l'analyse des sociétés contemporaines, et tout particulièrement de la question des recompositions identitaires consécutives à l'inévitable phénomène de brassage des populations. L'évolution des relations complexes entretenues par l'opinion publique et la sélection tricolore entre 1996 et 2002 constitue un exemple significatif de l'intérêt d'appréhender le football comme révélateur de situations interculturelles. Reflet de la société, ce sport, populaire par excellence, a été placé au cœur d'un débat lancé plus d'une décennie auparavant sur l'intégration des populations issues de l'immigration.

Cette fonction est pourtant bien plus ancienne : depuis les débuts du professionnalisme dans les années 1930, le football provoque des rencontres interculturelles quelquefois inédites et exemplaires. Facilement rassembleur et faiblement politisé, ce milieu sportif ne prend pas toujours la mesure des enjeux politiques et idéologiques relatifs au rapport à l'Autre. Ainsi, bien avant Zinédine Zidane, l'équipe de France a-t-elle pu illustrer une tendance certaine au métissage, consécutif aux différentes vagues d'immigration vers l'Hexagone. Des vedettes comme Gusti Jordan à la fin des années 1930, d'origine autrichienne, Raymond

---

1. Voir Raffaele Poli et Roger Besson (dir.), « Sport, intégration et territoires », dossier du *Bulletin de la Société neuchâteloise de géographie*, n° 50-51, 2006-2007.

Kopa au cours des années 1950 et 1960, d'origine polonaise, ou encore Michel Platini pendant les années 1970 et 1980[2], d'origine italienne, en témoignent ; sans parler de celles venues de l'« empire », comme Larbi Ben Barek ou Rachid Mekloufi.

Cependant, l'interculturel a longtemps été négligé lorsqu'il ne concernait que les milieux du football[3]. Le brassage, pourtant bien repérable, est resté un impensé. Deux raisons permettent de l'expliquer. D'une part, jusqu'aux années 1980, le ballon rond n'avait pas autant d'importance aux yeux de l'opinion qui l'appréhendait comme un phénomène déconnecté des réalités politiques sociales et culturelles. D'autre part, la diversité ethnique et le racisme demeuraient tabous. Lestés par le mythe jacobin de l'assimilation et surtout par le poids de la culpabilité, sorte de revers de la médaille de la domination coloniale, les Français, et *a fortiori* les milieux sportifs, ne cessaient de refouler ces sujets considérés comme dangereux. Il faut attendre 1983 pour que *L'Équipe magazine* sorte un dossier « Sport et racisme », dans le contexte de la montée de l'extrême droite et de la Marche des Beurs. Cette série d'articles s'inscrit dans une période de tension où le thème de l'immigration émerge comme un débat de société[4]. Elle met en lumière un lien inquiétant selon le rédacteur en chef, Noël Couëdel : « Le racisme et le sport. Normalement, l'idée d'associer ces deux mots n'aurait jamais dû nous venir. Le racisme et le sport. Le mal et le bien[5]. »

Il faut donc attendre la fin des années 1990 pour que le lien entre sport et altérité se généralise. Les compétitions de football sont depuis pleinement intégrées à la vie publique. Une véritable passion entoure les équipes, notamment nationales, et le vedettariat des joueurs provoque une surmédiatisation des compétitions qui deviennent des événements incontournables tant les journalistes et le public s'y intéressent.

---

2. Voir Yvan Gastaut, « Le football français à l'épreuve de la diversité culturelle », in Yvan Gastaut et Stéphane Mourlane (dir.), *Le Football dans nos sociétés*, Paris, Autrement, 2006.
3. « Le racisme, une tare que la famille du football a longtemps dissimulée », *Le Figaro*, 26 novembre 2004.
4. Yvan Gastaut, *L'Immigration et l'opinion en France sous la Ve République*, Paris, Le Seuil, 2000.
5. *L'Équipe magazine*, 3 décembre 1983.

Le 12 juillet 1998 peut être considéré comme une journée « qui a fait la France[6] ». Ce n'est pas un hasard si, à partir de 2008, le secrétaire d'État aux Sports, Bernard Laporte, envisage de commémorer la victoire des Bleus en Coupe du monde en faisant de ce jour « mémorable » la Fête du sport, sur le modèle de la Fête de la musique[7]. Ainsi, l'« effet Coupe du monde » peut se définir historiquement comme le négatif d'une « fièvre hexagonale », selon l'expression de Michel Winock[8], et plus encore comme un « moment » au cours duquel s'opère une curieuse alchimie dans l'espace public entre les citoyens rassemblés. Une élite sportive, politique et intellectuelle se forme autour d'un bonheur partagé avec les couches populaires. À tel point que, malgré les déboires ultérieurs, la « génération 1998 » reste un cru exceptionnel pour lequel les Français s'attendrissent encore aujourd'hui. Parmi eux, Zinédine Zidane occupe une position à part. Sans qu'il l'ait véritablement recherché, cette vedette incontestée apparaît comme un concentré positif de son époque : un enfant d'immigré qui a réussi et qui est devenu une star planétaire, sans oublier ses racines. La passion engendrée par son déplacement de cinq jours en Algérie, au mois de décembre 2006, qualifié de « visite d'État », a révélé la popularité du personnage dans son pays d'origine et l'importance du football comme facteur de dialogue entre les deux rives de la Méditerranée.

Et l'avenir ? La génération 1998 a une réelle descendance qui se dessine. Plus que jamais, le Onze de France reste celui de la diversité culturelle avec les trois jeunes pousses les plus prometteuses, ces joueurs dits de la « génération 87 » car tous d'origine maghrébine et nés en 1987. Attaquant surdoué de l'Olympique lyonnais, Hatem Ben Arfa, né à Clamart de parents tunisiens et titulaire de la double nationalité, a refusé d'intégrer l'équipe nationale tunisienne pour faire carrière en équipe de France. Même situation pour Karim Benzema, né à Bron dans la banlieue lyonnaise de parents algériens originaires de Tighzert en Kabylie. Pour cet autre joueur d'exception de l'Olympique lyonnais, grand espoir du football français au poste d'avant-centre, la question du choix de l'équipe nationale ne s'est même pas posée. Samir Nasri, né à Marseille d'un père originaire de Constantine et d'une mère originaire de Biskra,

---

6. Le terme est emprunté à une vieille collection des éditions Gallimard imaginée en 1959 et relancée en 2005.

7. *L'Équipe*, 22 janvier 2008.

8. Michel Winock, *Les Fièvres hexagonales*, Paris, Le Seuil, 1987.

a grandi à Septèmes-les-Vallons avant de se révéler comme l'un des meilleurs joueurs de l'Olympique de Marseille depuis 2004.

Ben Arfa, Benzema, Nasri : l'équipe de France qui les accueille depuis 2006 ou 2007 n'en finit pas de révéler les apports des populations issues de l'immigration. Mais, contrairement à la génération Zidane, ces joueurs font peu de cas de leur ascendance familiale et apparaissent aux yeux du public comme des Français à part entière. Dès lors, la référence à leurs origines semble désormais quelque peu vaine, voire dépassée, comme pour un autre jeune international, Lassana Diarra, né en 1985 à Paris dans le quartier de Belleville : l'origine malienne de sa famille est rarement mentionnée. Quant à l'autre vedette du milieu de terrain de l'équipe de France, Franck Ribéry, originaire de Boulogne-sur-Mer, il est marié à une femme de confession musulmane et s'est lui-même converti à l'islam, n'hésitant pas à faire sa prière en entrant sur le terrain.

D'ailleurs, le cas français, si stimulant soit-il, n'est pas le seul à retenir l'attention. Il est indispensable de considérer le cosmopolitisme du football dans une dimension internationale, afin d'apporter des compléments, des éclairages neufs sur l'évolution politique, économique, sociale et culturelle des sociétés contemporaines. Au diapason de la réforme du Code de la nationalité en faveur du droit du sol en 2000, le football allemand, par exemple, opère une mutation après de dures années de racisme dans les stades[9], à la suite de l'échec cuisant, en 1998, d'une Mannschaft « fromage » contrastant avec la France « black, blanc, beur » victorieuse. Depuis, la sélection allemande s'est engagée dans la voie multiculturelle en prenant pour exemple le modèle français[10]. Dès septembre 1998, le sélectionneur Berti Vogts convoque un joueur d'origine brésilienne, Paulo Roberto Rink, et un autre d'origine suisse, Oliver Neuville. Plus surprenant, il appelle aussi Mustafa Dogan, d'origine turque, naturalisé à la hâte pour la circonstance, mais dont la famille est installée en Allemagne depuis longtemps. Celui que

9. En août 1992, durant cinq nuits consécutives, des violences xénophobes se sont produites à Rostock, en ex-RDA : des émeutiers ont attaqué un foyer de demandeurs d'asile et de travailleurs immigrés. Les incidents ont éclaté cette fois à l'issue d'un match Rostock-Brunswick ; voir d'Henri de Bresson, « L'Allemagne désunie : xénophobie et identité nationale », *Le Monde*, 27 août 1992 et 10 février 1993. En mai 1994, une quarantaine de jeunes militants d'extrême droite, supporters du club de la ville, se sont livrés à une chasse aux étrangers à Magdebourg ; voir *Le Monde*, 14 mai 1994.
10. *Libération*, « Vers une Mannschaft "blanc, black, turc" », 5 juin 2006.

l'on surnomme « Hulk » Dogan côtoie en sélection un autre célèbre Germano-Turc, Mehmet Scholl, joueur du Bayern de Munich. Rudi Völler poursuit cette politique d'ouverture en titularisant, en 2001, le premier Noir d'origine ghanéenne de la Mannschaft, Gerald Asamoah, qui devient le symbole de la diversité culturelle du football allemand. Le renouveau du Onze allemand passe aussi par ses deux attaquants d'origine polonaise qui ont brillé lors du Mondial 2006, Lukas Podolski et Miroslav Klose, nés en Silésie – l'un à Gleiwitz, l'autre à Oppeln. Leur présence est toutefois moins surprenante tant les facteurs d'intégration propres à la communauté polonaise en Allemagne sont beaucoup plus anciens. Néanmoins, avec 2,3 millions de personnes, la communauté turque, population étrangère la plus importante outre-Rhin, recèle un vivier de talents qui échappent encore souvent au football national.

Il est probable qu'avec les nouvelles générations, sans que cela puisse pour autant empêcher l'expression d'autres formes de discrimination, la diversité culturelle, définitivement consacrée comme une réalité incontournable de la société française, ne retiendra plus guère l'attention. Peut-on en conclure que le football engendre automatiquement le métissage, voire qu'il est un agent de lutte contre le racisme ? La Fifa a mis l'accent sur ce fléau en 2001, parallèlement à la Conférence mondiale sur le racisme de Durban. Cette démarche est le fruit de plusieurs années de réflexion menées par les autorités internationales du football, convaincues du rôle de ce sport dans les relations internationales. À l'occasion de la Coupe du monde 2006 en Allemagne, la Fifa place la lutte antiraciste au premier plan autour du slogan « Le rendez-vous de l'amitié ». Pour chacune des soixante-quatre rencontres, dès l'ouverture du stade et jusqu'à la fin du protocole d'avant-match, est déployée une bannière recouvrant le rond central sur laquelle on peut lire le message de tolérance « *Say no to racism* » (« Dites non au racisme »). De plus, des vidéos antiracistes sont diffusées dans tous les stades et sur les chaînes de télévision qui couvrent l'événement. La Fifa, institution au rayonnement mondial, considère cette action comme un « devoir moral », notamment en période de Coupe du monde, un événement qui rassemble plus de 30 milliards de téléspectateurs dans le monde entier en audience cumulée. En partenariat avec le réseau Football Against Racism in Europe (Fare) et le Comité organisateur local (Col), la Fifa a lancé une initiative intitulée « *Football unites* » (« Le football uni ») : en marge des douze stades allemands, des activités sportives et culturelles sont ouvertes à tous, quelles que soient l'origine, la religion, la nationalité ou la couleur de peau.

Le réseau Fare entend débarrasser le football du racisme en luttant contre toutes les formes de discrimination : dans les stades, sur le terrain, dans les vestiaires, à l'entraînement, dans les bureaux et les salles de classe ; chez les supporters, les joueurs, les managers, les entraîneurs et les formateurs. À l'instigation de groupes de supporters venus de différentes régions d'Europe, une conférence fondatrice, à laquelle ont participé clubs de football et syndicats de joueurs, s'est tenue à Vienne en février 1999, dans le but de développer une politique de lutte contre le racisme à partir du ballon rond. En quelques années, le réseau a bien grandi, rassemblant plusieurs dizaines de groupes répartis en une vingtaine de pays. Soutenu par l'Union des associations européennes de football (UEFA), Fare organise des actions antiracistes ponctuelles dans les stades et dans les médias.

En France, la Fédération s'est engagée pour l'intégration et dans la lutte contre le racisme à travers plusieurs actions [11]. En 2006, elle a mené une campagne au sein des clubs amateurs intitulée « Racisme, se taire, c'est l'accepter ». Par le biais de séances d'information, de tracts et d'affiches, les victimes ou témoins d'actes xénophobes sont appelés à dénoncer tout incident. En outre, la Fédération a mis en place un Observatoire national de la violence dans le football amateur dont le but est de recenser les incivilités afin de réfléchir aux réponses à apporter. En collaboration avec la Fédération, la Ligue internationale contre le racisme et l'antisémitisme (Licra) développe également une action importante : en 2000, le RC Strasbourg a fait appel à ses services pour contribuer à lutter contre le racisme et l'antisémitisme au stade de la Meinau. L'année précédente, le Paris SG avait établi un partenariat de même nature avec une autre association, SOS-Racisme.

Le militantisme des joueurs s'avère aussi efficace : Lilian Thuram, membre du Haut Conseil à l'intégration, ne cesse de dénoncer le racisme dans les stades et d'apporter son soutien à la cause des sans-papiers, défendant avec sagesse le principe du respect des différences et la tolérance. Thierry Henry a lancé en janvier 2005 une campagne antiraciste

---

11. Par exemple, le 12 juin 2006, un disque, *Douce France*, est commercialisé par la Fédération pour financer, par le biais d'un fonds spécial intitulé Fraternité-Insertion-Football, des formations professionnelles d'animateurs de football et d'éducateurs de rue destinées à des jeunes de quartiers en difficulté.

depuis Londres où il était l'attaquant vedette du club d'Arsenal, « *Stand up, speak up* » (« Levez-vous, exprimez-vous »), en riposte aux propos du sélectionneur de l'équipe d'Espagne, Luis Aragonés, le 6 novembre 2004, le traitant de « nègre de merde[12] » et aux cris de singe proférés contre des joueurs anglais par des spectateurs lors du match Espagne-Angleterre du 17 novembre. La firme Nike, ayant bien compris tout le profit que peut rapporter une telle opération, est à l'origine de cette initiative : l'argent récolté est versé à la Fondation du roi Baudouin en Belgique pour soutenir des projets de lutte contre le racisme en Europe. Encourageant toutes les initiatives antiracistes émanant des clubs et des joueurs, le président Sepp Blatter nomme immédiatement Thierry Henry « ambassadeur de la Fifa contre le racisme ». Dans le cadre de cette campagne, en février 2005, lors de la vingt-cinquième journée du Championnat de France, les joueurs du match Paris SG - Lens portent des tenues en noir et blanc[13].

Face à ces avancées positives, tant au niveau international que français, les divers incidents qui émaillent assez régulièrement le Championnat de France nous obligent à douter d'un football sans racisme. L'expression de la haine dans les stades n'est pas un phénomène nouveau : les insultes à caractère xénophobe proférées à l'encontre de joueurs noirs ou arabes existent depuis les débuts du professionnalisme. Cette réalité n'épargne pas non plus le football amateur : le racisme ordinaire trouve avec ce sport un cadre d'expression privilégié. Il s'exprime sporadiquement et brutalement sans que l'on ait véritablement les moyens de le prévenir. C'est sans doute là une limite importante à tout discours irénique sur les vertus du ballon rond : les tribunes et la foule sont difficiles à raisonner et à maîtriser. En France, le début de l'année 2008 a révélé combien le racisme est une gangrène. Le 16 février, l'international marocain Abdeslam Ouaddou, capitaine de l'équipe de Valenciennes, est victime d'attaques verbales à caractère raciste de la part d'un supporter messin isolé au stade Saint-Symphorien

---

12. *L'Équipe*, 8 et 18 octobre 2004. La Fédération espagnole a ouvert une enquête qui n'a pas abouti à des sanctions.

13. Cela n'empêche pas le Kop de Boulogne d'imiter les cris de singe lorsque les joueurs noirs de Lens touchent le ballon. « Allez les Blancs », pouvait-on lire sur plusieurs banderoles. Le Premier ministre Dominique de Villepin réagit en promettant des mesures pour qu'aucune manifestation de racisme ne puisse se produire dans les stades.

lors d'une rencontre face au FC Metz. Traité de « sale négro » et de « sale singe », le joueur a tenté d'aller en découdre avec le spectateur dans les tribunes à la mi-temps, ce qui lui a valu un carton jaune. Après qu'une plainte a été déposée et que l'auteur des insultes, un Français sans histoire de 38 ans, se fut excusé platement dans *Le Parisien*[14], le débat sur le racisme dans le football a été relancé. D'autant plus que la semaine suivante, pourtant placée sous le signe de la lutte contre le racisme, avec des tee-shirts « Racisme... plus jamais ça » portés par tous les joueurs dans tous les stades, une poignée de supporters bastiais a décidé de provoquer l'attaquant burkinabé de Libourne, Boubacar Kébé, avant le match de Ligue 2 Bastia - Libourne Saint-Seurin. Une banderole à caractère insultant, « On n'est pas racistes, la preuve : on t'encule », a été brièvement dépliée[15]. Peu de temps après, à l'occasion de la finale de la Coupe de la Ligue entre le PSG et Lens le 29 mars 2008 au Stade de France, une nouvelle banderole insultante, cette fois-ci à l'égard des Ch'tis, a été déroulée par des supporters parisiens.

Si le racisme n'est pas une nouveauté, ce qui a changé, c'est l'attention portée à ces faits qui pendant longtemps n'ont guère suscité d'émotion.

Au terme de cet ouvrage, il apparaît que le football est l'un des territoires de l'« air du temps » traversé par les espoirs et les tourments de notre société, dont il se fait l'écho souvent par le biais d'un miroir grossissant. La porosité des discours et des faits autour du ballon rond fait cohabiter les plus belles histoires d'intégration et de solidarité interculturelle avec les pires sentiments racistes exprimés sans nuances. Le citoyen, et plus encore l'amateur de football, risque de s'en trouver désemparé et déboussolé. Le métissage, mais jusqu'où ? Tout acteur ou amateur de ce sport est contraint de concilier ces tendances contradictoires. L'histoire a montré qu'il est possible d'envisager le football à l'aune de la paix entre les peuples au même titre que l'idéal olympique parce que sa passion est partagée sur la majeure partie de la planète et

---

14. *Le Parisien*, 21 février 2008.

15. Cette banderole est en fait un nouvel épisode dans l'affaire Kébé, dont l'origine remonte au match aller du Championnat de Ligue 2, le 14 septembre 2007, Bastia étant venu s'imposer en Gironde (4-2) : la commission de discipline de la ligue avait pris la décision de retirer un point à Bastia au classement à la suite des insultes racistes de la part de supporters bastiais à l'encontre de Boubacar Kébé. Celui-ci avait par ailleurs été expulsé à la 85e minute pour un bras d'honneur à l'intention de supporters corses.

parce qu'il suscite un brassage original des acteurs mais aussi des supporters. Mais d'autres comportements individuels ou collectifs s'expriment dans des circonstances diverses et bien souvent aléatoires liées à des contextes politiques et/ou sportifs. Le football devient alors un terrain d'affrontement et le théâtre de l'expression des sentiments humains les plus vils, empêchant la réalisation de l'ambition de rapprochement des peuples voulu par Jules Rimet et qui reste encore aujourd'hui de l'ordre de l'utopie.

LES COMPOSITIONS DE L'ÉQUIPE DE FRANCE
LORS DES GRANDES COMPÉTITIONS 1996-2006

Euro 1996

Bernard Lama ; Fabien Barthez ; Bruno Martini ; Lilian Thuram ; Laurent Blanc ; Marcel Desailly ; Bixente Lizarazu ; Éric Di Meco ; Alain Roche ; Franck Lebœuf ; Jocelyn Angloma ; Christian Karembeu ; Vincent Guérin ; Didier Deschamps ; Corentin Martins ; Zinédine Zidane ; Patrice Loko ; Sabri Lamouchi ; Mickaël Madar ; Reynald Pedros ; Youri Djorkaeff ; Christophe Dugarry.
Sélectionneur : Aimé Jacquet.

Coupe du monde 1998

Fabien Barthez ; Bernard Lama ; Lionel Charbonnier ; Lilian Thuram ; Laurent Blanc ; Marcel Desailly ; Bixente Lizarazu ; Franck Lebœuf ; Vincent Candela ; Alain Boghossian ; Christian Karembeu ; Didier Deschamps ; Patrick Vieira ; Emmanuel Petit ; Robert Pirès ; Zinédine Zidane ; Thierry Henry ; David Trezeguet ; Youri Djorkaeff ; Bernard Diomède ; Stéphane Guivarc'h ; Christophe Dugarry.
Sélectionneur : Aimé Jacquet.

Euro 2000

Fabien Barthez ; Bernard Lama ; Ulrich Ramé ; Lilian Thuram ; Laurent Blanc ; Marcel Desailly ; Bixente Lizarazu ; Franck Lebœuf ; Vincent

Candela ; Christian Karembeu ; Didier Deschamps ; Patrick Vieira ; Emmanuel Petit ; Johan Micoud ; Robert Pirès ; Zinédine Zidane ; Thierry Henry ; David Trezeguet ; Youri Djorkaeff ; Nicolas Anelka ; Sylvain Wiltord ; Christophe Dugarry.
Sélectionneur : Roger Lemerre.

Coupe du monde 2002

Fabien Barthez ; Grégory Coupet ; Ulrich Ramé ; Lilian Thuram ; Franck Lebœuf ; Marcel Desailly ; Bixente Lizarazu ; Vincent Candela ; Willy Sagnol ; Mikaël Silvestre ; Philippe Christanval ; Alain Boghossian ; Claude Makelele ; Johan Micoud ; Emmanuel Petit ; Patrick Vieira ; Zinédine Zidane ; Thierry Henry ; David Trezeguet ; Youri Djorkaeff ; Sylvain Wiltord ; Djibril Cissé ; Christophe Dugarry.
Sélectionneur : Roger Lemerre.

Euro 2004

Fabien Barthez ; Grégory Coupet ; Mickaël Landreau ; Lilian Thuram ; William Gallas ; Marcel Desailly ; Bixente Lizarazu ; Willy Sagnol ; Jean-Alain Boumsong ; Mikaël Silvestre ; Patrick Vieira ; Jérôme Rothen ; Claude Makelele ; Robert Pirès ; Oliver Dacourt ; Benoît Pedretti ; Zinédine Zidane ; Thierry Henry ; David Trezeguet ; Louis Saha ; Sylvain Wiltord ; Steve Marlet ; Sidney Govou.
Sélectionneur : Jacques Santini.

Coupe du monde 2006

Fabien Barthez ; Grégory Coupet ; Mickaël Landreau ; Éric Abidal ; Lilian Thuram ; Wiliam Gallas ; Willy Sagnol ; Mikaël Silvestre ; Gaël Givet ; Jean-Alain Boumsong ; Pascal Chimbonda ; Patrick Vieira ; Alou Diarra ; Claude Makelele ; Vikash Dhorasoo ; Franck Ribéry ; Florent Malouda ; Zinédine Zidane ; Thierry Henry ; David Trezeguet ; Sidney Govou ; Sylvain Wiltord ; Louis Saha.
Sélectionneur : Raymond Domenech.

BIBLIOGRAPHIE

Ouvrages

BARREAUD M., *Dictionnaire des footballeurs étrangers dans le championnat professionnel français (1932-1997)*, Paris, L'Harmattan, 2000.

BARREAUD M., *Élite sportive et immigration. Les footballeurs professionnels étrangers en France et leur intégration dans la société (1945-1992)*, thèse de doctorat, université de Reims, 1992.

BONIFACE P., *La Terre est ronde comme un ballon : géopolitique du football*, Paris, Le Seuil, 2002.

BROMBERGER C., HAYOT A. et MARIOTTINI J.-M., *Le Match de football, ethnologie d'une passion partisane à Marseille, Naples et Turin*, Paris, éditions de la MMSH, 1995.

DAUNCEY H. et HEARE G. (dir.), *Les Français et la Coupe du monde de 1998*, Paris, Le Nouveau Monde, 2002.

DIETSCHY P., GASTAUT Y. et MOURLANE S., *Histoire politique des Coupes du monde*, Paris, Vuibert, 2006.

GASTAUT Y. et MOURLANE S. (dir.), *Le Football dans nos sociétés : une culture populaire (1914-1998)*, Paris, Autrement, 2006.

LANFRANCHI P. et WAHL A., *Les Footballeurs professionnels en France des années trente à nos jours*, Paris, Hachette, 1995.

PERELMAN M., *Les Intellectuels et le football : montée de tous les maux et recul de la pensée*, Paris, La Passion, 2000.

Chapitres d'ouvrages, articles ou numéros de revue

AMARA M., « Soccer, Post-Colonial and Post-Conflict Discourses in Algeria : Algérie-France, 6 octobre 2001, "ce n'était pas un simple match de foot" », *International Review of Modern Sociology*, vol. 32, n° 2, automne 2006.

« Au miroir du sport », *Hommes et Migrations*, n° 1226, juillet-août 2000.

CHOVAUX O., « Le football, un exemple d'intégration "de surface" dans l'entre-deux-guerres », in *Tous gueules noires, histoire de l'immigration dans le Nord-Pas-de-Calais*, Roubaix, Centre historique minier, 2004.

« Le football, sport du siècle », n° 26, *Vingtième siècle*, avril-juin 1990.

« Les footballeurs maghrébins en France : itinéraires professionnels, identités complexes », *Migrance*, n° 29, 1er trimestre 2008.

GASPARINI W. (dir.), « L'intégration par le sport ? », dossier de *Sociétés contemporaines*, n° 69, 2008.

GASTAUT Y., « L'intégration par le sport, réalité et illusions », *Les Cahiers français*, mai-juin 2004.

GASTAUT Y. (dir.), « Sport et immigration : parcours individuels, histoires collectives », *Migrance*, n° 22, Paris, Génériques, 2003.

HARZOUNE M., « Psychodrame autour d'un ballon rond », *Hommes et Migrations*, n° 1244, juillet-août 2003.

LANFRANCHI P., « Mekloufi, un footballeur français dans la Guerre d'Algérie », *Actes de la recherche en sciences sociales*, n° 103, juin 1994.

POLI R. et BESSON R. (dir.), « Sport, intégration et territoires », dossier du *Bulletin de la Société neuchâteloise de géographie*, n° 50-51, 2006-2007.

« Pratiques sportives et relations interculturelles », dossier de *Migrations Société*, vol. 19, n° 110, mars-avril 2007.

« Sport et communautarisme », *Cahiers Intermed*, Paris, L'Harmattan, 2002.

« Sport et médiatisation interculturelle », *Migrations Société*, février-avril 2000.

TAÏEB É., « France-Algérie de football, évitons les conclusions trop rapides », *Ville-École-Intégration*, n° 135, décembre 2003.

TAÏEB É., « Les équipes de France de football et l'intégration », *Espaces et Sociétés*, n° 104, 2001.

BIOGRAPHIE DE L'AUTEUR

Yvan Gastaut est maître de conférences en histoire contemporaine à l'université de Nice et président de l'association Wearefootball.org. Codirecteur de la collection « Mémoires/Culture » chez Autrement, il est notamment auteur de *L'Immigration et l'opinion en France sous la Ve République* (Paris, Le Seuil, 2000) et codirecteur de l'ouvrage *Le Football dans nos sociétés* (Paris, Autrement, 2006) qui a reçu le grand prix de l'Union des clubs professionnels de football 2008. Yvan Gastaut a dirigé le numéro de la revue *Migrance* intitulé « Sport et immigration : parcours individuels, histoires collectives » (2003).

TABLE DES MATIÈRES

SPORT ET SOCIÉTÉ AUX ÉDITIONS AUTREMENT

Le Football dans nos sociétés
Une culture populaire (1914-1918)
Dirigé par Stéphane Mourlane et Yvan Gastaut
Coll. Mémoires
N° 120 – 264 p. – 19 €

La Leçon de sport
Jean-Philippe Acensi, Denis Soula et Joël Szpindel
Coll. Beaux livres
272 p. – 30 €

Le rugby français existe-t-il ?
Denis Soula et Olivier Villepreux
Coll. Mutations
224 p. – 19 €

Vive le sport ?
Pratique du sport et phénomène sportif
Mathilde Bricoune et Mélanie Perry
Coll. Junior/Société
N° 23 – 48 p. – 9 €